BIANCA **TOLEDO**

A HISTÓRIA DE UM MILAGRE

Reino editorial

2014

BIANCA **TOLEDO**

A HISTÓRIA DE UM MILAGRE

Reino editorial

Bianca Toledo: a história de um milagre

Editado no Brasil segundo o Acordo Ortográfico da Língua Portuguesa.

Edição: Cássio Barbosa / cassio@reinoeditorial.com.br
Revisão: Marilisa P. Vigiano M. Barbosa
Foto da capa: Bruno Fioravanti
Fotos internas: Arquivo pessoal da autora
Produção: Reino Editorial

Dados Internacionais de Catalogação na Publicação (CIP)

T649h Toledo, Bianca
A história de um milagre / Bianca Toledo. - São Paulo : Reino Editorial, 2014, 8ª Impressão - 15.000 exemplares.
144p. il.

ISBN 978-85-63249-22-7

1. Toledo, Bianca - Biografia. 2. Fé. 3. Vida - Espiritualidade. 4. Deus. 5. Morte. 6. Oração - Cura. 7. Vida espiritual. I. Título.

CDU 244
929
CDD 261.58

(Bibliotecária responsável: Sabrina Leal Araujo – CRB 10/1507)

Reino editorial

Produzido por Reino Editorial
www.reinoeditorial.com.br
comercial@reinoeditorial.com.br
Rua Carlos Petit, 431 - CEP 04110-001 - São Paulo - SP - Brasil
Telefone: (11) 5575-8870

Impresso no Brasil / Printed in Brazil

Índice

Prefácio

Este livro é uma viagem. Não sei se uma viagem para cima e para a grandeza da fé ou para baixo e para a profundidade da fé. Ou talvez, usando a expressão da autora, do tempo em que estava em coma: "uma viagem em um mundo paralelo onde subir e conhecer a grandeza e a altura da fé é a mesma coisa de descer e conhecer a profundidade da fé". Ao usar a expressão descer não estou de forma alguma dando uma característica menor ou mesmo ruim, mas me refiro a descobrir o profundo.

Gostaria de registrar só mais duas coisas para não retardar o acesso do Leitor a esta história de vida, morte, e vida (a Glória da segunda "vida" será maior que a primeira).

Primeiro, perceba em todo livro a trajetória da fé: começa com sentimentos bons, esperanças e confirmações e vai crescendo ou se aprofundando e de repente começam desaparecer estes sentimentos bons, agradáveis e aparecem novos sentimentos, e então nos confrontamos com elementos dos quais todos fugimos: o medo, e a dúvida. Não a dúvida do poder de DEUS, mas das limitações humanas, do que tem fim. À medida que a leitura vai crescendo ou aprofundando, a fé passa a lidar com o maior inimigo: a morte. De repente, a fé não tem mais a ver com qualquer sentimento, mas com compromissos e aliança. Pessoas que nem conheciam e nem sabiam exatamente quem era Bianca estavam lá em oração pedindo, pedindo, pedindo. O que restava era: estamos vivos e queremos que a Bianca também esteja. Não há nada que justifique nenhuma resposta, mas é o que queremos e o que cremos. E aqueles que desfrutavam da sua intimidade deixaram de acreditar em sentimentos e tornaram a restauração da Bianca em uma forma de viver. E isto é a grandeza e a profundidade da fé: uma forma de viver.

"Os quais, em esperança, creram contra a esperança, tanto que ele tornou-se pai (mãe) de muitas nações, conforme o que lhe fora dito: Assim será a tua descendência. E não enfraquecendo na fé, não atentaram para o seu próprio corpo já amortecido,... E não duvidaram da promessa de Deus por incredulidade, mas foram fortificados (as) na fé, dando glória a Deus" (Romanos 4:18-20).

Perdoem a adaptação, mas foi exatamente assim que passei a entender este versículo após ler este livro.

Segundo, atente ao desafio disposto a todos os leitores deste livro: tenham a ousadia e a sabedoria de ler e ver o que não foi descrito em palavras. Esta é a maior aventura: o que se passou sem que os olhos da carne vissem. As dores, as esperanças, as lágrimas que não vieram à tona, os movimentos espirituais, o impacto e as mudanças geradas na vida dos que estavam ao redor, todas estas coisas são visíveis aos que sabem ver pelos olhos da fé.

Boa leitura e boa viagem à grandeza e à profundidade da fé.

Wesley Bandeira

Apresentação

Estive com a Bianca assim que ela se mudou para o Rio de Janeiro. Ela estava feliz com a gravidez e a expectativa da chegada do filho iluminava seu rosto. Ela estava bonita e saudável. Depois de alguns meses recebi a notícia de que ela estava em coma na UTI. Imediatamente acionei toda a Igreja para orar por ela e passamos a acompanhar as notícias através de amigos comuns e das mídias sociais.

Um dia recebi uma ligação dizendo: vamos orar pela família porque a Bianca está desenganada. Ainda me lembro da sensação horrível que tomou conta do meu coração. Por alguns minutos, eu aceitei aquela notícia como um fato. Porém, quando me lembrei dela, do seu filho e da sua família, comecei a orar e me encher de esperança. Ela ainda respirava e um milagre podia acontecer.

Quando nos encontramos novamente, ela mal conseguia caminhar e sua voz era tão fraca que precisei me esforçar para entendê-la. Seu cabelo ralo emoldurava um rosto pálido e uns olhos sem brilho. Ela estava de volta.

Porém, grandes desafios a esperavam. Semana após semana, ela se submeteu a todos os tratamentos necessários para sua recuperação. Muitas vezes me perguntei: onde ela arruma força para lidar com tudo isso? Nunca ouvi uma palavra de murmuração ou de queixa. Só percebi um intenso desejo de superar e seguir em frente. O milagre não foi apenas no físico. O mesmo Deus que curou seu corpo, a fortaleceu interiormente. E um dia, sentada na minha frente, ela cantou algumas estrofes de uma música. E eu soube que ela voltaria a cantar. Foi emocionante. Como será emocionante para você acompanhar essa história passo a passo.

Ana Maria de Brito Almeida

Dedicatória

Eu dedico esse livro ao meu filho José Vittorio, meu príncipe, minha herança.

Ao Renato, exemplo de fé e dedicação em todo o momento em que estive no hospital.

À minha mãe que certamente foi moída pelo meu sofrimento, mas permaneceu firme até o fim, ao meu irmão Bruno pela força e amor gerando um movimento de fé e oração, à Patrícia pelo apoio e amor com que esteve presente nos piores momentos, ao meu irmão Marcelo pelo apoio e clamor sincero, às minhas irmãs Ciça e Fernanda, à tia Zelly que diariamente estava no CTI dando apoio a todos, aos familiares que vieram me ver e unindo forças buscando toda ajuda profissional possível, a todos os amigos, pastores e líderes que apoiaram minha família e estiveram comigo no hospital.

Também ao Pr. Josué Valandro Jr. pela cobertura espiritual e acompanhamento pastoral, à Pra. Fernanda Brum e Pr. Emerson Pinheiro que lutaram intensamente em cada instante por mim e de tantas formas, à Igreja Batista Central da Barra que unida a centenas de igrejas clamou constantemente pela minha cura.

A todos os amigos, pastores e irmãos na fé que fizeram parte do relógio de oração, que 24 horas por dia mantinham acesa a chama da oração e súplica, movendo o coração de Deus.

A todos aqueles que fizeram parte da campanha pelo Twitter promovendo oração e doação de sangue.

E finalmente a todos aqueles que sofrem hoje à espera de um milagre, em busca de um Deus que visita na aflição e se faz presente na hora da angústia, muda uma história e restaura a chance de recomeçar.

Agradecimento

Agradeço em primeiro lugar ao Espírito Santo, meu amigo. Presença constante, que moveu céus e terra pela minha vida.

Acordou de madrugada milhares de pessoas para orar por mim, me tornando uma lembrança constante todos os dias enchendo suas vidas de um amor inexplicável e transformador, levando-as a clamar sem mesmo me conhecer.

A todos os amigos, familiares e profissionais da saúde que deram depoimentos e aceitaram relatar o que aconteceu naqueles dias.

À Dra. Ana Almeida por caminhar comigo em meio às lembranças, sendo instrumento de cura para o meu coração e por contribuir com a Apresentação deste livro.

Agradeço ao Bispo Wesley Bandeira por enriquecer esta obra, prefaciando-a, e edificando tanto a minha vida.

Agradeço também a todos que apoiam este projeto

de todas as formas, assim como ao Cássio e Marilisa Barbosa, pelo amor, dedicação e amizade na produção deste livro; ao Bruno Fioravanti pelas fotos da capa, ao Renato Pimentel pelas fotos tiradas no hospital, e ao Luiz e Erika Feres pelo amor e investimento no Reino de Deus.

Que o poder desta história se revele a cada leitor de forma única e pessoal.

Esta é a história de um milagre. A próxima pode ser a sua.

Introdução

Todos queremos ouvir a história de um milagre, ver um milagre, ter a marca de um milagre, mas não queremos precisar desesperadamente de um.

A História de um Milagre possui muitos momentos em que eu estava inconsciente e alguns relatos e depoimentos de pessoas que participaram e que me ajudarão a contar essa história a você.

Gostaria de começar compartilhando um pouco de como iniciou a minha vida cristã. Desde os meus 16 anos, conheci um Deus real, e tive oportunidade de ver o seu poder de forma sobrenatural. Recebi o dom da fé e fui fortalecida por muitos testemunhos, mas nunca imaginei depender de um milagre para permanecer viva. Quando entreguei minha vida a Jesus Cristo conheci um amor que não existe em lugar algum. Um amor que me refez, me reprogramou, mudou meu olhar, e me mostrou o melhor de mim quando me aceitou como eu estava, e me preencheu. Vivi intensamente essa metanoia, mudando definitivamente o meu destino. Antes eu era uma adolescente cheia de defesas, com problemas de autoestima, autodestrutiva, depressiva, e com dificuldade em me relacionar. Então escolhi a comida como minha melhor amiga. Mas esta relação não me trouxe muitos benefícios. Logo nos primeiros dias de convertida decidi mergulhar na palavra de Deus quando me disseram que tudo que eu precisava saber estava ali. E o Espírito Santo começou a me revelar o que Deus pensava de mim. Quando Deus falava de mim, Ele falava baseado em si mesmo, revelando em mim sua paternidade e seu projeto inicial de ter em mim imagem e semelhança. E essa experiência não me permitia permanecer como antes. Ele caminhou comigo em cada espaço de mim mesma mostrando as suas digitais. E isso foi libertador. Eu não estava mais só, recebi significado e imediatamente uma missão.

A música e a adoração

Desde criança eu era muito musical: cantava, tocava piano, violão e escrevia minhas canções. Mas meus complexos não permitiam me relacionar e me expor.

Quando comecei a ser restaurada conquistei a liberdade dia a dia de ser aquilo que Deus sonhou para mim, enfrentando o desafio de ser como Ele é.

Esta é uma decisão diária de uma vida inteira, mas logo nos primeiros anos eu pude ver os resultados.

Mudei-me para a capital paulista para estudar Psicologia, e acabei trocando de curso para estudar música e aperfeiçoar aquilo que eu tinha para comunicar a verdade que estava me transformando.

Na medida em que descobria as riquezas do Reino de Deus, e as formas com que eu podia comunicá-las, maior era meu anseio em promover o que crescia em meu coração. Através da poesia, através da música, e de toda forma de arte e comunicação em que eu podia me envolver.

Participei de muitos programas de televisão e dessa maneira tive a oportunidade de influenciar e atrair muitas pessoas a Deus.

Comecei a escrever minhas canções e desenvolver o ministério no evangelismo e na música, na adoração.

Meu sonho

Apesar de estar envolvida sempre em muitos projetos, havia um desejo no meu coração que eu não costumava verbalizar: O desejo de ser mãe.

Eu havia tratado uma endometriose na adolescência, e sabia que isto me impedia de engravidar. Mas esse era um desejo de uma vida inteira e meu maior sonho.

Depois que me casei, clamava em secreto, e durante muitos anos isso era algo entre eu e Deus.

Apesar de todas as tentativas frustradas, e os atrasos seguidos de sintomas falsos e exames negativos, o meu coração não deixava de desejar e sempre que alguém falava sobre o assunto ou ouvia um testemunho de cura da esterilidade este desejo ardia no meu coração.

Nunca falava no assunto, pois era algo entre eu e Deus.

Certo dia eu estava em um culto e uma intercessora da igreja veio a mim e disse: "Querida, o Senhor está tocando seu ventre e abrindo sua madre. Ele alegrará sua casa e lhe dará um filho". E na mesma semana, em ocasiões diferentes, três pessoas me disseram a mesma coisa.

Parecia ser uma mensagem de Deus ao meu coração e parecia uma resposta às minhas orações, ao meu clamor.

Eu rapidamente organizei toda minha vida para que isso acontecesse, e todo mês vivia a ansiedade e tinha a expectativa frustrada.

Até que por volta de 15 meses depois daquela palavra recebida no culto, quando eu já não me lembrava mais com tanta frequência, e estava começando uma nova faculdade e fazendo outros planos, eu tive um sonho.

Sonhei que estava ovulando e havia sinais específicos. Sabia que não era um sonho comum, e guardei-o no coração.

Uma semana depois senti um mal estar e percebi que os sinais eram exatamente como os do meu sonho. Eu estava revivendo aquela cena, e pensei: não vou comentar nada com ninguém e nem criar expectativas. Já tive tantos sintomas falsos, e sempre alertava a todos. Desta vez vou me calar.

Passaram-se quinze dias e os sintomas permaneciam, mas dessa vez era diferente, eu estava cada dia mais feliz. Estava em estado de graça.

Já me sentia plena.

Sem que ninguém soubesse agendei os exames de sangue.

Cheguei ao laboratório antes mesmo de abrir e fiquei no carro esperando sozinha. Todos os meus planos passavam pela minha cabeça e os momentos de oração onde eu pedia ao Senhor, aquele que pode todas as coisas, que me desse a chance de ter um filho.

Abriram o laboratório e logo me chamaram.

Enquanto a enfermeira tirava o meu sangue eu, ansiosa, contava a ela todos os meus sintomas. E ela sorridente dizia: "Ei, pelo que você me diz, eu tenho certeza que você está grávida. Agora aguarde na recepção e em trinta minutos eu levarei o resultado até você".

Por ter guardado segredo, eu não podia compartilhar aquela ansiedade com ninguém. Permaneci esperando a meia hora mais longa até aquele dia. Quando chamaram o meu nome parecia a entrega de um prêmio, e eu me levantei eufórica e peguei o envelope. Enquanto rasgava a lateral e abria aquele resultado me lembrava de quantas vezes eu já havia feito aquilo e o conteúdo era sempre igual.

E quando abri, vi que o texto começava o mesmo, mas o final dele tinha uma palavra que eu lia pela primeira vez: POSITIVO.

Meu coração bateu mais forte e eu chorava e sorria ao mesmo tempo.

O Renato estava viajando e estava próximo do aniversário dele, então decidi fazer uma surpresa e fui direto para a casa da minha mãe para dar-lhe a notícia. Chegando lá não resisti às lágrimas e dei a notícia, na verdade em prantos porque eu ainda não acreditava que meu maior sonho havia se realizado.

Com oito semanas fiz um exame que revelou o sexo e eu sabia que gerava um profeta, um adorador. Mudei para o Rio de Janeiro e durante toda a gravidez eu cuidei de todos os detalhes para recebê-lo. Li todos os livros que pude sobre a gravidez, o nascimento, a amamentação e o desenvolvimento do bebê. Tudo era novidade para mim, eu nunca havia cuidado de um bebê antes, mas sonhava quase todas as noites que estava amamentando.

Minha saúde era surpreendente. Apesar de já ter passado por uma cirurgia bariátrica para controle da obesidade há anos, eu tinha um ganho de peso normal e uma vitalidade incrível.

Escolhi com todo amor todos os detalhes do enxoval e fiz pessoalmente a pintura do quarto e a colocação do papel de parede. Estava chegando o último mês e escolhemos o seu nome: José Vittorio. Eu jamais imaginaria a vitória que ele realmente seria dali poucos dias. Fiz a plaquinha para a porta do seu quarto e, com bastante antecedência, lavei e passei todas as suas roupinhas embaladas por tamanho, assim como a malinha para a maternidade.

Ainda faltava um mês, mas eu sentia uma urgência em deixar tudo pronto.

Últimas lembranças

Minha mãe veio para o Rio de Janeiro ajudar nos preparativos do parto, e o chá de bebê. Lembro-me que passei o dia preparando tudo para recebê-la.

Era uma quarta feira à noite, dia 6 de outubro. Então, assim que ela chegou fizemos um jantar e conversamos bastante sobre o futuro cheio de novidades que nos aguardava.

O chá de bebê era no dia seguinte e logo cedo acordei com uma dor muito forte na barriga e pensei: “Meu Deus, o Senhor é muito bom, fez minha mãe chegar logo porque o meu filho viria mais cedo!”.

Fomos às pressas para a maternidade porque a dor era muito forte. Praticamente insuportável. Chegando lá começaram os exames...

Para minha surpresa os médicos disseram que eu não estava em trabalho de parto. E a minha dor tinha outro motivo. Imediatamente começaram os vômitos. Litros e litros de um líquido escuro parecido com sangue, mas com um cheiro muito forte. Neste momento comecei a enviar mensagem para as minhas amigas da igreja, e pedir que avisassem os pastores e orassem por mim.

Também publiquei uma mensagem no Twitter pedindo oração.

E os amigos de outros estados começaram a perceber que algo havia acontecido. Fui transferida para um hospital mais equipado e lá começaram novos exames. A dor não diminuía e o vômito também não.

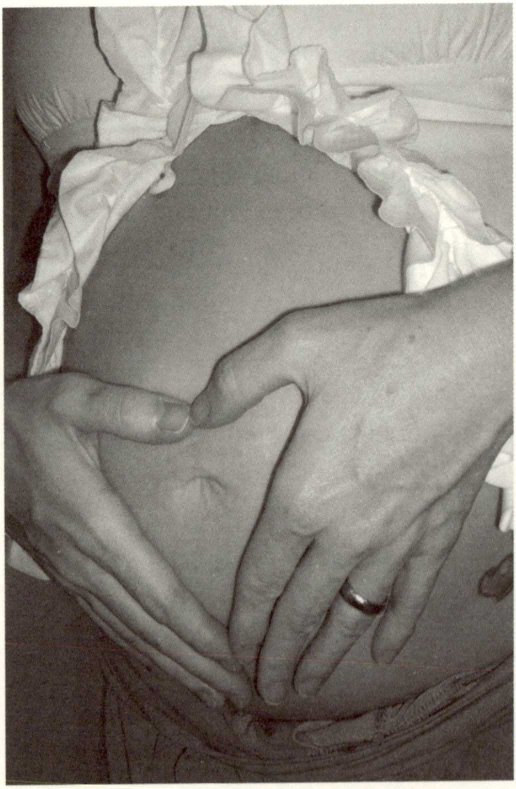

Ninguém tinha uma resposta. E passaram-se quatro dias até que decidiram tirar o bebê. Lembro-me do Obstetra entrar no quarto e falar: "Mãe, seu bebê vai nascer agora, daqui a pouco eu venho buscá-la".

E essas são minhas últimas lembranças.

A vida e a morte

O dia tão esperado, o dia da festa, da alegria, da emoção mais forte da minha vida, o momento tão esperado foi marcado pela dor.

Por causa dos vômitos tive que ser entubada na hora do parto e estava inconsciente quando ele nasceu.

Não pude colocá-lo em meu peito, nem ouvir o seu choro. Não pude dar boas vindas, nem abençoar sua chegada. Não pude saber com quem se parecia.

Soube pela minha mãe que ao chegar no quarto recobrei a consciência por algum tempo e escrevi em um caderno de anotações:

"Mãe, como ele é? Com quem se parece? Por favor, peça que o médico venha me ver, e me dê algum remédio. Não aguento mais essa dor. Ela é forte demais".

Em seguida meu organismo entrou em choque, meus sinais vitais se alteraram violentamente e me levaram de volta para a sala de cirurgia.

Após a chegada do Médico Cirurgião a família foi comunicada que apesar dos riscos era necessário uma nova cirurgia para verificar o que havia acontecido, e após algumas horas foi dada a notícia que ninguém esperava.

No momento da celebração da vida a morte era um risco que e roubou a alegria.

48 horas decisivas

"Estava em casa, na véspera do feriado de 12 de outubro, e o hospital me ligou relatando o caso de uma paciente com características clínicas que apontavam para uma cirurgia de emergência. Pelo relato do caso, sabia que precisava operá-la imediatamente.

Prontamente acionei o anestesista e toda a equipe para resolução do caso em caráter crítico. Em aproximadamente vinte minutos cheguei ao hospital, e já encontrei a paciente inconsciente, no respirador e em estado clínico gravíssimo em uso de medicamentos para manutenção dos sinais vitais.

A família estava muito apreensiva, ansiosa e solicitando informações detalhadas sobre o caso, entretanto, o quadro clínico exposto não permitia que definisse diagnóstico, mas sim, e somente, a necessidade de cirurgia imediata. O caso era claro: uma puérpera de menos de 24 horas com abdome agudo e sepse grave.

A despeito das hipóteses diagnósticas (úlcera, apendicite entre outras), uma coisa era certa: a necessidade de cirurgia.

No ato operatório foi identificado quadro de peritonite fecal devido à necrose e perfuração de alça intestinal de intestino delgado devido à invaginação intestinal situada em enteroanastomose anterior.

Este quadro grave conduziu à necessidade de ressecção de todo o segmento da alça intestinal necrosada com reconstrução do trânsito intestinal de forma detalhada em decorrência das operações anteriores. No fim do procedimento cirúrgico, a paciente apresentou piora clínica expressiva que preocupou a todos da equipe médica e colocou dúvidas quanto à sobrevida da paciente no pós-operatório imediato.

A família foi orientada quanto à gravidade do quadro clínico, inclusive da importância das primeiras 48 horas de

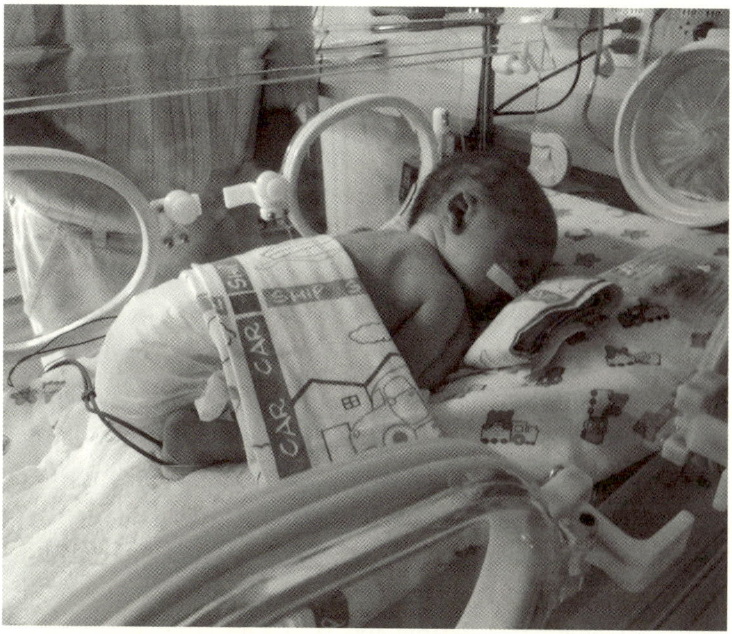

pós-operatório. A septicemia era grave e, em decorrência da resposta metabólica do organismo, ainda poderia piorar. Foi uma história marcante para todos quantos participaram de algum modo do "Caso Bianca". Todo o contexto no qual a paciente estava inserida nos remetia à historia de uma mãe que não vira seu filho e que apresentava risco de morte iminente".

Médico Cirurgião

"Naquela segunda feira, 11 de outubro de 2010, fui chamada para atender uma família que estava muito apreensiva e nervosa na emergência do hospital. Até aquele momento eu não sabia que se tratava de uma história que mudaria a minha vida e de muitos outros funcionários, pacientes e familiares naquele hospital.

Os familiares estavam numa sala esperando notícias da paciente, o marido dela apresentava um comportamento relativamente "calmo", aguardando novidades, um relato sobre o quadro, mas não estava desesperado; a mãe da paciente estava muito nervosa, chorando muito, preocupada, andando de um lado para o outro. Recebi da coordenadora de atendimento algumas informações sobre o caso e resolvi ir até o Box onde a paciente estava para entender melhor o que estava acontecendo.

Quando cheguei, os médicos estavam "trabalhando" nela: a paciente já estava entubada e sendo encaminhada para a Tomografia. De longe percebi que estava muito inchada, mas não consegui conversar muito com os médicos durante aquele atendimento. Preferi, então, atender os familiares e buscar acalmá-los, pois sabia que a internação dela estava apenas começando.

Assim fiz e naquela noite saí do hospital por volta das 20 horas.

Voltei para o trabalho no dia 13 de outubro e fiquei sabendo da história completa sobre a paciente cuja família havia atendido na emergência. Tratava-se de uma mulher, 31 anos, puérpera[1] e que deu entrada no hospital grávida de mais ou menos 36 semanas, e com fortes dores abdominais. O bebê nasceu no domingo e estava na UTI Neonatal, passando bem, segundo informações das equipes. Ela permaneceu no quarto até segunda-feira à tarde, quando o quadro se agravou e foi levada às pressas para a Emergência onde entrou em "choque" e precisou ser entubada e transferida para o CTI com quadro

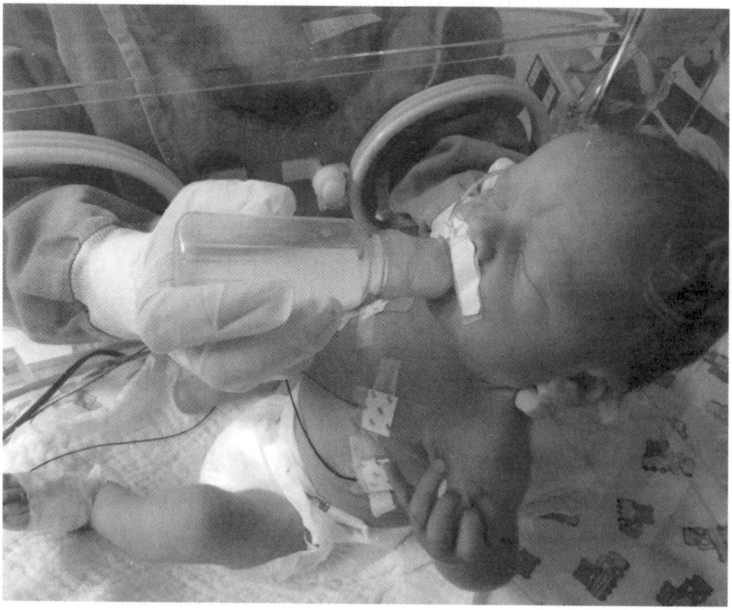

1 Mulher que deu à luz recentemente.

clínico gravíssimo. A paciente do leito 11 chamava-se Bianca Toledo e estava no CTI do 2º andar.

Quando cheguei ao CTI para vê-la, a paciente estava repleta de aparelhos, medicações com doses altíssimas e durante algumas semanas em seu prontuário o que mais se lia era: "paciente gravíssima..." a esta altura sua família e amigos lotavam todas as visitas. Foi assim que descobri que ela era evangélica e que seus amigos haviam iniciado um relógio de oração. Até na rádio foi pedido orações para sua vida e para seu filho que ainda estava na UTI Neonatal, até porque ele era prematuro".

Dra. Carla Felows, Psicóloga do CTI

"Sem sombra de dúvida, foram dias muito difíceis, dias incertos, dias de muita dor. Enquanto a Bianca dormia, nossas mãos trabalhavam, alarmes soavam e drogas faziam seu coração bater. O pensamento de todos era voltado para sua melhora, e como torcíamos por isso. Foi uma fase difícil demais... A Bianca piorava a todo instante, febre alta, uma cirurgia atrás da outra no abdome, uma máquina de hemodiálise ao seu lado trabalhando "full time" já que seus rins tinham perdido a força... A todo tempo eu pensava que tínhamos que lutar junto com ela porque ela tinha um bebezinho lindo esperando ela chegar em casa e, convenhamos, a juventude nada tem a ver com um leito de hospital. Eu nas minhas sinceras conversas com Deus, dizia: Senhor, que esse sofrimento me ensine a ser uma pessoa melhor todos os dias".

Grasiela Mesquita, Enfermeira do CTI

"Tinha tudo para ser um final de 2010 maravilhoso. O

primeiro sobrinho, a alegria de ver a Bi linda e feliz à espera de seu filho, e recebi um telefonema que confirmava um tempo de muita dor, provação, aprendizado e relacionamento com Deus. Fui correndo para o Rio, mas nunca imaginava o que ocorreria nos próximos meses. Eu havia falado com ela por telefone para dar os parabéns, dizer que o Vittorio era herança de Deus e que tudo iria correr bem. Ela emocionada, com voz meio chorosa me disse : "amém... Estou com medo". Esta foi a última palavra que ouvi da Bi antes de ficar sem ouvi-la por meses".

Bruno Toledo, Irmão

"Dia 9 de outubro, um sábado, vi no Twitter a seguinte postagem da Bianca: "Continuo internada. Orem por mim". Não entendi muito bem, porque ainda faltava um tempo para o bebê nascer... Abrindo o Twitter no dia 12 de outubro, eu e meu esposo lemos o recado que dizia que Bianca estava em coma, tinha 48 horas de vida e que sua situação era gravíssima. Imediatamente, assustados, chamamos a família pelo rádio, que confirmou a informação. Disseram que o bebê estava em observação e que Bianca estava desenganada pelos médicos devido à septicemia (infecção generalizada) por obstrução de uma parte do intestino, contaminando todo o corpo... e que só um milagre a salvaria! Eles estavam saindo de um culto e levando um pastor para orar por ela. Desligando o telefone, ficamos "pasmos"! Começaram a passar flashes em nossa memória dos momentos da gente com a Bianca há poucos dias no chá de bebê realizado para ela em São Paulo, ministério Alianças de Sucesso, recados em Twitter... Começamos a orar e clamar a Deus por sua vida e pelo seu bebê e família. A "sentença" era cruel demais para uma moça tão jovem, linda, adoradora de Jesus e que acabara de ter um bebê que necessitaria demais da mãe! Como isso era possível??? Lágrimas, muitas lágrimas... Neste momento, comunicamos os amigos, espalhando por toda a parte o pedido de clamor por sua vida. Amigos, igrejas, redes sociais, blogs, sites e Twitter. O Twitter foi nosso ponto de informações. A família postava notícias durante o dia todo. Entramos juntamente com amigos, por vários dias, em jejum (só água!).

Lágrimas, orações e muita dificuldade de dormir, pois a cada instante poderia ter alguma notícia. 48 horas se passaram e a expectativa e esperança aumentavam, porém, contrárias aos diagnósticos".

Suely e Alberto Yanes

"Chegando de viagem recebi a notícia de que a Bianca estava em coma e com falência de órgãos. Um médico amigo nosso nos disse que isso era muito grave e foi conosco vê-la no hospital. Chegando lá fui ver primeiro o José Vittorio no CTI Neonatal e, preocupada, fiz inúmeras perguntas e vi que ele estava bem. Então fui ver a Bianca.

E quando nós entramos no CTI, o médico não sabia que eu era pastora e amiga da Bianca então nos deu as notícias de forma fria e direta. O nosso amigo médico, o Dr. Alexandre não quis me falar, mas sabia que havia pouquíssimas esperanças. Então perguntei ao médico se ela podia me ouvir, se eu podia orar por ela. E ele não me deu uma resposta apenas disse que eu podia orar.

Quando a vi estava muito diferente da última vez que a

havia visto no CTI da Maternidade, ainda consciente.

Agora ela estava muito inchada, inerte. E eu disse a ela:

- Bianca! Clama o sangue de Jesus na sua mente!

Sua respiração ficou acelerada e os aparelhos começaram a apitar todos de uma vez.

E naquele dia para mim começou uma grande batalha".

Fernanda Brum

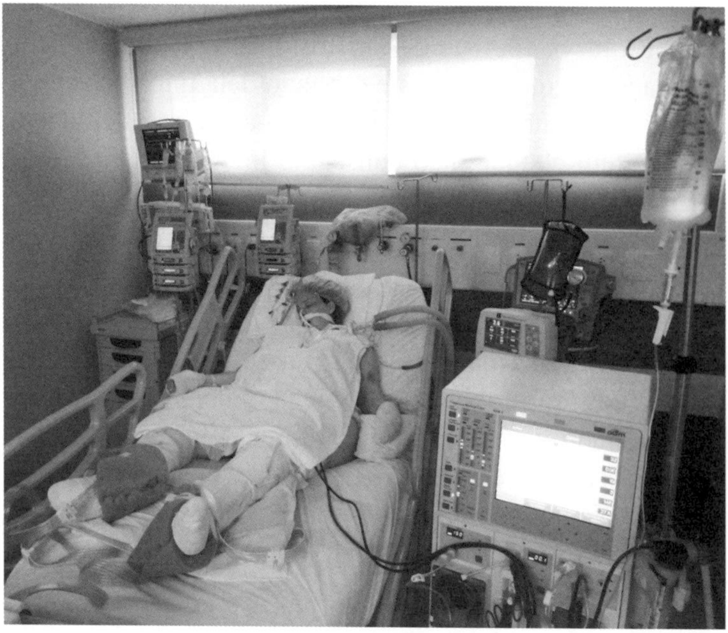

“Eu não conseguia entrar no CTI para vê-la. Estava paralisada pela possibilidade de perdê-la. Disseram que ela estava diferente, inchada, em coma, e eu não iria suportar vê-la assim.

Disseram que mesmo inconsciente, ela precisava de mim, precisava ouvir minha voz.

Então uni todas as minhas forças e fui até lá. Fiquei ao lado do seu leito e disse: – Filha, mamãe está aqui do seu lado. E imediatamente ela abriu os olhos com força, e todos ficaram assustados. Seus olhos já estavam com a parte branca esverdeada, e em seguida fechou novamente. Ela percebeu que eu estava ali, e eu não aguentei, tive uma crise de choro e tive que sair”.

Regina Flora, Mãe

“Eu fui para o Rio de Janeiro ficar ao lado da mãe da Bianca assim que soube que o estado dela tinha se agravado. Eu que conheci a Bi com quatro anos, me sentia mãe e estava em choque, não conseguia imaginar como ela, a Regina estava. Não precisei de muito tempo para perceber o desespero em que ela estava porque no final das contas eu também fiquei assim.

Fui para o apartamento que a Regina estava e a nossa noite foi difícil. Tínhamos que focar a cabeça e isso estava complicado. O problema era imenso: além de a Bi estar no estado em que se encontrava, tinha o José Vittorio que também estava internado na UTI Neonatal para observação. Tudo estava muito confuso.

Todos os irmãos vieram, pois a situação nos foi colocada de forma a querermos estar perto e juntos. Fomos ao hospital cedo, nos sentamos e ficamos, foram chegando os irmãos Bruno e Marcelo que vinham de Araçatuba, Maria Fernanda de São Paulo e Maria Cecília de Brasília; vieram também os cunhados Renata, esposa do Bruno, e André, marido da Ciça. Os primeiros dias foram de muita oração, desespero, e perplexidade do por que ela estar passando por isso. Passamos 48 horas sem que nada pior acontecesse, mas nada de bom também acontecia. Ficamos no hospital todos os dias da manhã até a noite sem que pudéssemos fazer absolutamente nada, completamente atados, só podíamos esperar e esperar".

Patrícia Toledo, Madrasta e viúva de Afonso Toledo

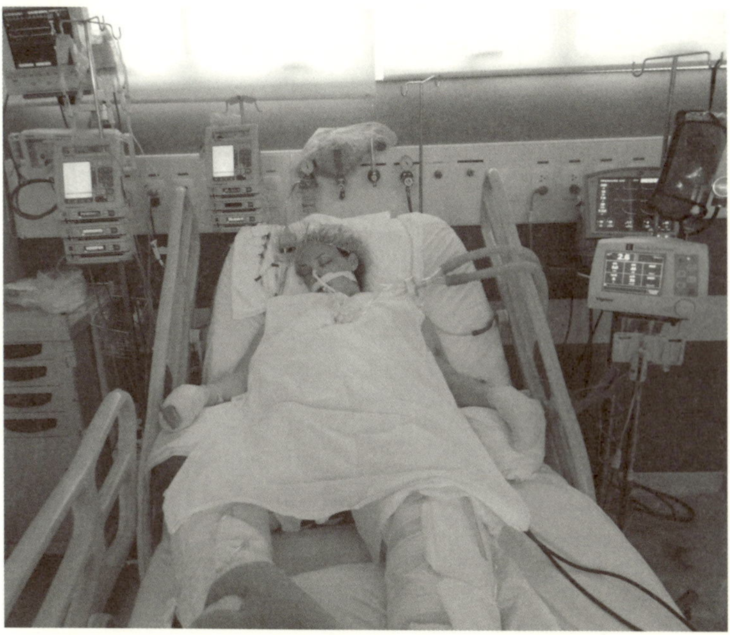

"Enquanto orávamos sentíamos a necessidade de vê-la no CTI do hospital. Pedíamos direção de Deus, pois sabíamos que não seria apenas uma visita. Então saímos de São Paulo em direção ao hospital no RJ. No CTI, entramos: eu, Alberto e Mitchu. Cada um falou palavras de carinho, embargadas por emoção, tristeza, mas também com atitudes de fé... passei a mão na cabeça dela e disse que iria cantar pra ela, um dia, fora dali, uma música que ela cantava: Candeia, em uma versão "diferente" que eu tinha feito. Ela estava enfaixada nas mãos e pés, extremamente inchada, tão deformada que chocou a nós todos. Deveria estar com 100 quilos de inchaço. Aquele corpo, que era tão cheio de vida, estava inerte, mantido por muitas máquinas, praticamente morto... O diagnóstico era de um caso gravíssimo. Vimos nossa Bianca morta. Alberto fez uma oração a Deus dizendo muitas coisas, declarando, em concordância nossa, a cura da Bianca em Nome de Jesus e para que Deus tirasse dela todo o medo.

Desde o início, a morte era certa! A noite do dia em que a vimos foi estranha. Ainda estávamos no Rio de Janeiro e sentíamos incômodo, angústia, como se algo precisasse ser feito ainda... Logo cedo, uma pastora de São Paulo, que não conhecia a Bianca, mas sabia que estávamos lá, orando, entrou em contato conosco nos orientando para que voltássemos ao hospital e "lavássemos" os pés da Bianca com óleo, como um ato profético, profetizando a cura.

Imediatamente ligamos para a família e avisamos que precisávamos voltar. Chegando lá percebemos conversando com a família que Deus estava realizando uma obra entre eles, e ministramos a família dela também.

Fomos novamente ao CTI, enquanto muitas pessoas

oravam no hospital e doavam sangue (muitos até sem conhecê-la!)...

Entrando no CTI, pela segunda vez, onde a Bi estava, foi feito um momento de perdão. Sentimos que isso liberaria a cura para a vida dela. Bianca estava em coma e fez uma expressão em seu rosto, expressão de choro (só acreditamos porque vimos!). Seus pés foram ungidos com óleo, acima das faixas que os protegiam.

Perplexos com o que vimos, sem mais aquele incômodo que nos afligia antes, agora havia a certeza de que Deus tinha planos maiores e melhores para toda a família.

Muitas pessoas chegaram ao hospital para ver a Bianca, mas a família decidiu preservá-la".

Suely Yanez

"Íamos pra casa com notícias boas, e no trajeto até chegar em casa as notícias mudavam e novamente nos afligíamos. Como especialista em fisiologia, eu entendia o que acontecia e sabia que era muito grave o caso, e as notícias eram de morte. Mas eu tinha fé. Não sei de onde vinha, e como a alimentava, mas eu acreditava que ela sairia de lá".

Marcelo Toledo, Irmão

O coma

Uma viagem, um hiato, uma ausência.

Muitos consideram o coma como um vazio. E nesse vazio não há lugar para emoções, sentimentos, sonhos ou pensamentos.

Alguém em coma não fala, não vê, não escuta, não sente cheiros. Enfim, não há nenhuma reação a esperar desse paciente. Do grego *kóme,* a palavra "coma" significa "sono profundo". O conceito de coma era visto até pouco tempo atrás como uma espécie de prelúdio da morte.

E isso não é verdade.

A maioria dos pacientes nesse estado depende de mecanismos artificiais de sustentação da vida, como o respirador e as sondas de alimentação.

A aparência impressiona. Olhos e boca projetados para frente por causa da retração dos músculos da face e da desnutrição – a nutrição endovenosa jamais substitui por completo a natural. Diante de um quadro como esse, não há praticamente nada a ser feito.

Atualmente, os cuidados médicos resumem-se a tentar garantir o bem-estar do paciente – como evitar a formação de escaras.

Para a família e os amigos, a convivência com o doente em coma é devastadora.

É como conversar, fazer carinhos e esperar respostas de uma estátua de cera. Mas o parente ou o amigo querido está ali, vivo, o coração pulsando, o sangue quente, os olhos ora abertos, ora fechados.

Vejo a angústia de quem observa e acompanha um paciente desse estado.

E hoje eu sei principalmente o que é estar refém desta condição de consciência que o aprisiona em uma dimensão que você não controla.

Imagino como foi difícil para aqueles que me amam me verem dia após dia dormindo, enquanto meu corpo perecia.

Sem que pudessem dizer o quanto gostariam de me ter de volta.

Não sabiam se eu estava sofrendo, se eu estava ouvindo.

Não sabiam se eu iria voltar. Mas desejavam muito e criam que sim.

Eu estava cientificamente mantida por uma série de aparelhos, mas espiritualmente sustentada pela oração de milhares de pessoas que se uniam comovidas pela minha situação.

Diariamente familiares, pastores, e amigos íntimos estavam ao lado do meu leito me falando palavras de amor, de fé, e de certa forma interferindo no ambiente em que eu estava, preservando minha proteção.

O ambiente de um CTI tem influências espirituais diversas relacionadas ao sofrimento, à angustia, às crenças equivocadas, e à morte.

E aqueles que oravam por mim constantemente se sentiam incomodados a lutar por aquele território ao meu redor.

Hoje sei pelos relatos, que o Espírito Santo zelava por mim com muito cuidado, movendo corações com urgência pela minha vida.

Eu tenho muitas lembranças do tempo em que estava em coma.

Sonhos consecutivos com diversos enredos. Muitos coincidem com a realidade que estava ao meu redor. Palavras liberadas... orações.

Havia um Mp4 tocando louvores, ministrações da palavra de Deus, 24 horas ao dia. E estas canções estavam presentes nos meus sonhos.

Quando o sonho era ruim a canção me tirava dele.

Em alguns momentos passava por vielas de chão de terra, lugares escuros, e ali Deus falava comigo que minha vida estava em perigo.

E então uma canção me arrematava e me livrava.

E novamente começava outra jornada. E foram muitas.

Hoje eu vejo a importância da oração constante por aqueles que estão aprisionados em um coma, assim como o zelo pelo ambiente do CTI e o que se fala perto desse paciente.

Nos mesmos sonhos tinham bebês, cirurgias, enfermeiros, médicos, sangue, bolsas e bolsas de sangue. Minha vida estava sempre por um fio.

Tive sonhos de perdão onde me pediram perdão e eu perdoei.

E de fato isso também aconteceu enquanto eu "dormia".

Eu estava inconsciente, mas de onde eu estava Deus estava falando comigo, e de lá eu tinha poder de decidir e obedecer.

Foram 52 dias em coma e durante esse período foram 10 cirurgias, traqueostomia, muitas idas e vindas ao centro cirúrgico para lavagem do abdômen.

Mais de 300 transfusões de sangue, edema pulmonar, pneumonias, cirurgia no pulmão, duas paradas cardíacas, uma de seis minutos e outra de dois minutos, em um intervalo de dez minutos. Uma luta constante contra as bactérias e a infecção generalizada e contra a KPC – bactéria de alta resistência.

Realmente existia uma guerra pela minha vida e eu sentia isso de alguma forma, de onde eu estava, e me afligia.

Eram sonhos de uma mente aprisionada em um corpo que lutava pela vida. Nos sonhos eu estava sempre paralisada querendo sair do lugar, mas não podia. E sempre tinha alguém movendo meu corpo por mim.

Eu comparo o coma com uma prisão porque a sensação que eu tinha era essa.

Uma total consciência em uma realidade paralela.

Claro que essa é uma experiência pessoal, que não é uma

regra, mas certamente um relato de uma experiência real.

Alguns homens de Deus na Bíblia estiveram presos por algum tempo.

José preso por tanto tempo no Egito, o profeta Jeremias sofreu o horror de permanecer confinado num calabouço subterrâneo e depois numa cisterna lamacenta.

Eles atraíram o favor de Deus ali onde estavam e cumpriram seu propósito enquanto enclausurados, manifestando a sua glória de alguma forma.

Um episódio da história de Paulo me chama a atenção:

"A multidão levantou-se contra eles, e os magistrados, rasgando-lhes as vestes, mandaram açoitá-los com varas.

E, havendo-lhes dado muitos açoites, os lançaram na prisão, mandando ao carcereiro que os guardasse com segurança.

Ele, tendo recebido tal ordem, os lançou na prisão interior e lhes segurou os pés no tronco. Pela meia-noite Paulo e Silas oravam e cantavam hinos a Deus, enquanto os presos os escutavam.

De repente houve um tão grande terremoto que foram abalados os alicerces do cárcere, e logo se abriram todas as portas e foram soltos os grilhões de todos". Atos 16:22-26

Paulo, levado para a prisão, foi liberto pela glória de Deus atraída pela atitude de louvor, e pela fé de cantar enquanto já se via fora dali.

A convicção daquilo que não se pode ver o fez louvar e adorar, mesmo naquele lugar. E isso move o coração de Deus.

Através dos depoimentos pude ver que além do louvor e da adoração que tocavam constantemente ao meu lado enquanto eu dormia, meus familiares e amigos cantavam para mim quando estavam comigo.

Quando vejo o agir de Deus neste período me lembro do texto que diz:

"Aos seus amados Ele o dá enquanto dormem". Salmos 127: 2

Muita coisa aconteceu nesse período e os depoimentos e testemunhos contarão essa parte da história por mim.

"No momento em que esperávamos receber as melhores notícias da Bianca, que sempre foi exemplo de fé e do amor de Deus, soubemos que ela estava com muita dor, estava sozinha e indefesa no CTI, e não sabíamos o que fazer. Estávamos longe e fomos para o Rio de Janeiro, mas ainda assim estávamos longe. Ela não estava ali. Apenas o seu corpo estava. Queríamos tocá-la, ainda que com o olhar, mas não podíamos. Nos aproximamos em oração, no jejum, na determinação de que ela sairia de lá. Os primeiros dias foram muito difíceis, e a cada hora era uma notícia terrível e o que nos restava era nos aproximarmos de Deus. Buscar, buscar e orar. As dores eram imensas, olhar os nossos familiares, o Renato, minha mãe, a aflição de todos me doía e eu pensava: Como eu posso orar e clamar por ela, se sou pecador e tenho tanto a melhorar. E com o tempo fui descobrindo que mesmo não sendo perfeito Deus me ouve, e vale a pena lutar por quem amamos".

Marcelo Toledo, Irmão

"Trinta dias se passaram, o bebê de Bianca tem alta do

hospital e ela continua em estado grave no CTI. Inúmeras idas e vindas do Centro Cirúrgico eram necessárias para fazer curativos em seu abdômen e drenos. Numa destas idas, fui convidada pelo cirurgião geral que estava acompanhando o caso. Ele me convidou porque sabia que eu estava acompanhando a família também e, segundo ele, queria que eu visse de perto com o que estávamos lidando. Entrei no Centro Cirúrgico com ele e sua equipe para participar de um procedimento de curativo em uma das fístulas que a Bianca tinha.

Nesta época, ela fazia hemodiálise quase que diária, mas seus edemas não diminuíam, sua cor de pele estava modificada por causa de uma substância chamada bilirrubina e sua barriga estava aberta porque o tecido não conseguia cicatrizar. Presenciei todo o preparo da paciente, desde a colocação dela na maca do Centro Cirúrgico, até a abertura de seus curativos. É bom ressaltar que levar Bianca para o Centro Cirúrgico não era simplesmente retirar um paciente com sua maca do CTI e colocar na maca cirúrgica, não. Junto à paciente vinham aparelhos como respirador, bombas de medicação – pelo menos duas, traqueostomia, etc.

Bom, retornando ao Centro Cirúrgico, o abdômen dela estava aberto pelo menos uns 15 cm (não sei precisar), mas era uma abertura, para os olhos de uma Psicóloga, feia. Saíam muitos líquidos, alguns provavelmente relacionados ao estômago e também ao intestino. Enquanto realizava o curativo o médico me explicou um pouco o que havia acontecido com ela, em relação às alças do intestino e a ligação com o estômago na cirurgia bariátrica que ela havia feito há cinco anos. Fiquei impressionada com a imagem que, segundo ele, já estava melhor do que nos primeiros dias de sua internação no CTI.

Bianca estava com uma infecção muito séria, com uma bactéria multirresistente, precisando tomar muitos antibióticos, fortíssimos. Nesta época, seu nível de consciência era baixo, não havia comunicação com ela, mas mesmo assim seus familiares conversavam com ela todos os dias durante a visita na unidade; música, louvores, tocavam praticamente 24 horas naquele leito, e muitos funcionários que eram evangélicos e até mesmo aqueles que não eram, começaram a ser tocados pela história, oravam e pediam por ela, choravam e clamavam pela sua cura. Eu atendia a família de Bianca todos os dias praticamente, e ao mesmo tempo ouvia os médicos e enfermeiros sobre a evolução do quadro clínico dela; em muitos rounds o quadro não mudava, a infecção persistia, às vezes ficava um ou dois dias sem febre, mas quando íamos comemorar logo ela voltava. Por várias vezes ficava parada olhando para Bianca e tudo aquilo que estava acontecendo com ela. Em muitos momentos me questionei sobre aquela situação, e me perguntava *"por que uma mulher que* é *serva do Senhor estaria passando por esta situação?"* Ficava angustiada, com medo de que ela pudesse morrer e me perguntava: e o nome de Deus, como ficaria? Até porque muitos pastores e irmãos da igreja foram até o leito e oraram por ela e por nós da equipe. Isso tudo passava pela minha cabeça. Fui até o meu Pastor e disse o que estava acontecendo, também pedi que a minha igreja orasse por ela, eu queria entender o porquê daquilo tudo.

Numa tarde em minha casa, eu estava com a minha mãe (ela também é evangélica) conversando sobre o caso, resolvi ver na internet como era a Bianca antes da internação. Fiquei surpresa com sua beleza e só ficava pensando nela, em sua mudança, sua aparência totalmente modificada. Meu

Deus, pensei, é outra mulher. Oramos por ela, olhando a sua imagem no computador, e ao final da oração minha mãe me disse: "eu tive uma visão com ela enquanto eu orava... eu a vi sentada bebendo suco".

Na hora disse glória a Deus, mas meu coração e minha mente viam Bianca sedada, traqueostomizada, com respirador, cheia de medicação e com a barriga cheia de drenos.

Dali para frente, o risco de morte era um pouco menor, mas sua complexidade permanecia. Foi quando numa manhã, não consigo lembrar exatamente o dia da semana e a data, mas o horário era 6:30, Bianca sofreu uma parada cardiorrespiratória, foi revertida, e alguns minutos depois outra, e por seis minutos ela morreu e ressuscitou. O médico que a acompanhava estava em estado de preocupação, pois ainda não sabíamos em que medida a paciente havia sofrido alguma lesão neurológica com a parada, ainda que tenha sido por seis minutos. Quando soube da parada e do retorno, a primeira coisa que pensei foi em Lázaro, quando Jesus disse a ele: 'Lázaro, vem para fora' e ele veio à vida. A mão de Deus estava realmente sobre aquela situação, porque após acontecerem as duas paradas, os médicos reiniciaram a diminuição da sedação para saber em que nível a parte neurológica havia sido afetada e também porque alguns parâmetros, taxas e exames começaram a melhorar".

Dra. Carla Fellows, Psicóloga do CTI

"Sou cristão, médico formado pela UnB – Universidade de Brasília em 1990, ou seja há 21 anos. Fiz residência médica em cirurgia geral e cirurgia plástica, exerci a primeira especialidade por alguns anos e hoje exerço apenas a cirurgia plástica.

Já tive a oportunidade de cuidar de pacientes que apresentaram o mesmo quadro que a cantora. E ao ouvir sua história tive a nítida e absoluta certeza de tratar-se de um grande e poderoso milagre, milagre!

A sepse quando não debelada leva ao que chamamos de Choque Séptico, onde existe uma queda da pressão arterial tão acentuada que para manter a vida são necessárias drogas que aumentam a pressão, como ato heroico, pois nesta fase o momento mais crítico apresentou duas paradas cardiorrespiratórias com intervalo de 10 minutos com duração de 6 minutos, sendo necessário agir de imediato na intenção de não perder a paciente. E quando se tem êxito ainda há a possibilidade de ocorrer a morte cerebral parcial e com extensões variadas, podendo deixar graves sequelas.

O Choque Séptico tem como consequência o sofrimento de tecidos vitais, tais como o sistema renal, respiratório, cardíaco, imunológico, hemo-coagulação, nervoso, levando a um quadro conhecido como Insuficiência de Múltiplos Órgãos e Sistemas (IMOS), ou ainda a Síndrome de Disfunção de Múltiplos Órgãos e Sistemas, exatamente o que aconteceu com ela, todos estes sistemas faliram, e a estatística diz que para cada sistema acresce-se a um cálculo para mortalidade de 15-20% para cada sistema acometido, se somarmos os sistemas daria mais de 100% de mortalidade, ou seja, estatisticamente ela estava morta".

Dr. Murilo Prata

"Todo esse processo pelo qual a minha irmã passou, foi uma transformação na vida da família toda. Foi algo que nos pegou completamente de surpresa, e aprendemos a ficar dependentes de Deus e do que Ele podia fazer e a esperar para que os seus planos na vida da minha irmã pudessem se cumprir.

Todas as vezes que a visitei ela estava dormindo... E sempre havia a expectativa de ter notícias boas em relação à saúde dela.

Queria que ela acordasse para se recuperar o mais rápido possível e poder cuidar de seu filho, que tinha sido tão planejado e esperado".

Maria Fernanda Toledo, Irmã

"Ver meu neto saindo do hospital sem a mãe foi muito dolorido. E depois vê-lo crescendo longe dela, que continuava da mesma forma, fez com que eu orasse o Salmo 70:1, que diz: *Apressa-te Senhor! Apressa-te!*"

Regina Flora, Mãe

"A primeira semana foi um tsunami, só podíamos ver a Bi nos horários de visita e isso era dolorido demais. A nossa pequenez é medida pela nossa humanidade, não tínhamos o que fazer a não ser esperar e pedir, e crer sem dúvida que era possível para Deus curá-la e só por Ele isso poderia acontecer. Nesse meio tempo o bebê – José Vittorio – estava pronto para ir para casa, e foi particularmente doloroso vê-lo saindo do hospital sem a mãe dele, a mãe que ele ainda não tinha sentido. A mãe que esperou por ele tanto tempo, ainda teria que esperar um bom tempo para que isso acontecesse. Por mais bem amparado que ele estivesse, não estava com a mãe, e ela não estava com ele. Pensamos no poder da oração coletiva, em mobilizar as pessoas pelas redes sociais e conversamos a respeito para que não ficasse sensacionalista, mas sim que tocasse as pessoas e que elas sentissem no coração o desejo de orar pela Bi, e isso aconteceu. As pessoas ouviram nosso

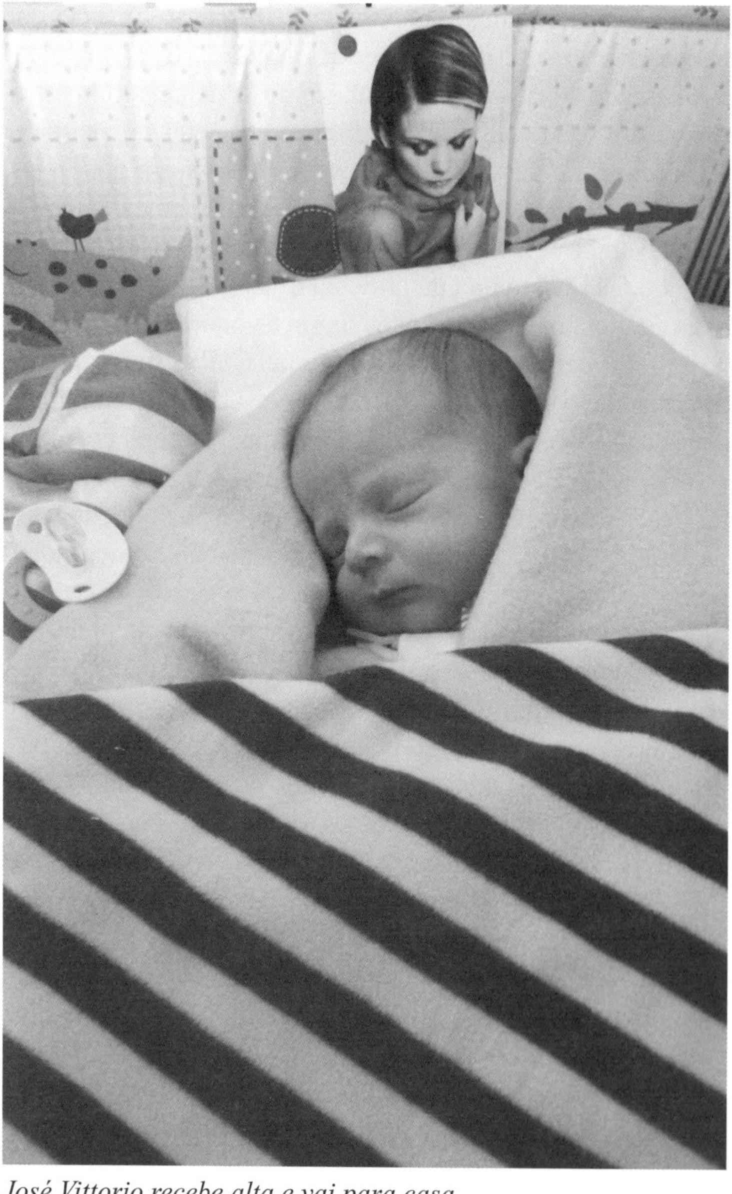

José Vittorio recebe alta e vai para casa

pedido e começaram a orar, porém mesmo com as orações que aconteciam em todos os lugares do mundo, a Bi não melhorava. Passado o primeiro mês começamos a perceber um estranho padrão, ela melhorava no começo da semana, na quarta feira piorava e depois estabilizava, e piorava aos domingos, nunca soubemos o motivo. Parecia que andávamos um passo e voltávamos dois. Começamos a procurar alternativas, o clínico do CTI passou a cuidar dela em tempo integral, ele era responsável por ela. Os irmãos foram e voltaram, eu também, na verdade nem sei quanto tempo fiquei no Rio, mas acho que isso resume o porquê de ter ficado: eu sabia que minha presença não iria mudar nada, mas para mim, sair dali era muito pior, a sensação que eu tinha era de suspense de vida, a vida de todos estava suspensa, por enquanto, parece que ninguém da família conseguia seguir porque a vida não estava andando mesmo, por mais que tentássemos, ela ficava passando o mesmo episódio todos os dias. Eu achava que ela precisava ser analisada por outros especialistas de outras áreas, pensei em um infectologista e como as coisas só pioravam e como disse estávamos atadas, só poderíamos contar com médicos, e com Deus, mas sabia que teríamos que tentar tudo o que pudéssemos, porque Deus faz a parte dele, mas eu creio que temos que buscar antes disso a exaustão de opções. E fizemos isso. Entramos em contato com um médico em São Paulo, porém ele estava em um congresso no Chile, e era urgente que achássemos alguém aquele dia, assim entrei em contato com uma outra médica que apareceu para nos dar uma força a pedido do tio da Bianca que conhecia um excelente médico no Rio, e ela é assistente dele, e desde o primeiro dia depois da cirurgia esteve por perto sempre, e naturalmente pedi para que ela me indicasse um infectologista, e assim que ela me passou o telefone de um dos melhores infectologistas do Rio de Janeiro, que foi vê-la e nos deu um refresco de esperança, mas as coisas não mudaram muito, pois a cada dia um problema novo acontecia, e os órgãos (fígado, rins, pulmões, coração) já não funcionavam sem aparelhos ou medicamentos. Começamos as batalhas pela coagulação do sangue, que não coagulava de maneira alguma. Chamamos uma médica especialista e pesquisadora no problema que ela estava tendo de coagulação, que simplesmente disse à Regina: sinto muito, mas não posso fazer nada. Ouvir isso de uma especialista é de chorar, desesperar, mas vou dizer que existem dois princípios na vida, o da incerteza que vivemos constantemente, e da certeza que é inquestionável, e foi no princípio da certeza que vivi esse tempo todo. Eu tinha certeza que a história dela não acabaria ali, não me dava o direito de pensar mais nada, mesmo ouvindo que precisávamos estar preparados, nesse caso não estávamos. A todo momento ouvíamos o que não queríamos ouvir, que se a Bi melhorasse, muito provavelmente teria sequelas e que elas poderiam perdurar por muito tempo. Andar? Não antes de um ano. Sair da cama? Provavelmente uns seis meses, depois que saísse do hospital e recuperada. Ouvimos muitas coisas e, sinceramente, eu queria que ela saísse dali, sabia que seria custoso, mas queria ela curada, fora daquele Box do CTI. O tempo passava e nada de melhora, ela estava tão inchada que de tocá-la já ficava com a impressão de nossa mão no corpo e parece que piorava todo dia, tudo o que ela podia ter ela teve, desde sapinho até a KPC. A cor da pele da Bianca é leite, e esse leite por causa de medicamentos que tomava ficou Nescau. Ela estava mulata, e depois ficou laranja".

Patrícia Toledo, Madrasta e viúva de Afonso Toledo

"Era uma montanha-russa emocional totalmente imprevisível. Não havia como prever o que iria acontecer no próximo segundo, quanto menos no dia ou na semana seguinte.

A fé nos mantinha unidos como família e confiantes de que Deus estava no controle daquela situação. Mesmo nos momentos mais difíceis, diante dos piores diagnósticos possíveis, continuamos crendo que Deus era poderoso para realizar o milagre que a Bianca precisava naquele momento.

Era muito triste vê-la naquela CTI, em coma induzido, sedada, sem compreender totalmente aquela situação, sem ter conhecido seu filhinho. Foram momentos de muita dor, mas a cada dia éramos surpreendidos pelo favor de Deus".

Maria Cecília Toledo, Irmã

"Eu sempre levava uma garrafa com óleo ungido, e tirava todos os anéis, pulseiras, lavava as mãos e braços, e eu tinha medo de tocar na Bianca porque o abdômen dela estava aberto e havia tantos tubos, eu temia machucá-la. Então eu dizia a ela: – Clame o sangue de Jesus!

E Deus me dava a direção sempre de ungir os pés dela e repreender o espírito de Morte, e eu massageava os pés dela porque estavam muito inchados.

E cada vez que eu ia ela estava pior. A pele estava amarela e depois marrom, cada vez que eu ia ao hospital um órgão havia parado, o coração batia através de medicamentos, o pulmão funcionava por causa do respirador, e enfim ela contraiu a superbactéria KPC que estava matando centenas de pessoas nos hospitais do Rio de Janeiro.

Eu entrava naquele hospital dizendo: – Senhor, eu entro nesse lugar pela fé no teu poder, porque eu não tenho mais força".

Fernanda Brum

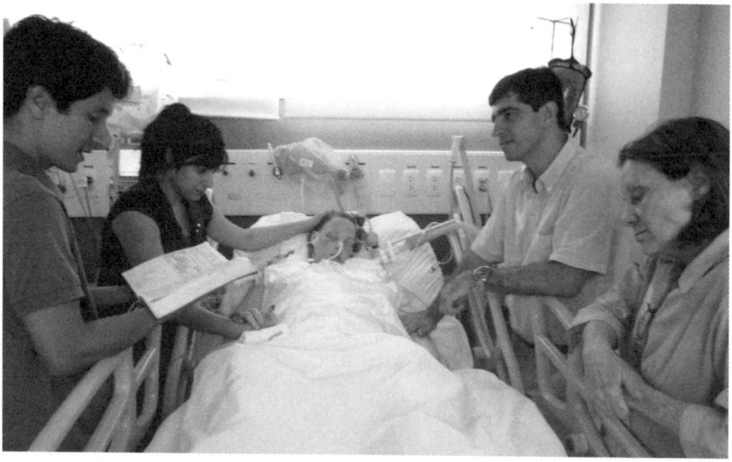

Pr. Leandro, Pra. Fernanda Brum, Pr. Josué Valandro Jr., e Regina, Mãe

"Lembro-me das vezes que fui vê-la em seu coma. A moça loira, branca e de olhos azuis estava com a pele marrom e gosmenta, totalmente inchada por um sem números de líquidos que eram injetados em seu fragilizado corpo. Os olhos tomados por um amarelo ovo assustador e seus cabelos quase que todos removidos. Bianca era uma pessoa que expressava a morte. Era difícil não se emocionar ao sair dali e ver que seu filhinho talvez não conhecesse a mãe".

Pr. Josué Valandro Jr.

"Uma das vezes que eu fui orar pela Bianca, eu chamei o Neto, pai da Eyshila, minha amiga, para ir comigo ao CTI, porque a esposa dele havia passado por uma septicemia há muitos anos, e havia vencido pelo poder de Deus. Então fomos eu, a Eyshila e seus pais para orar. E nós levamos um pastor que faz cruzadas na África e que é muito usado com cura divina, o Pr. Jânio. Ele já viu muitos milagres. Quando chegamos ao seu Box do CTI a mãe da Eyshila começou a chorar muito, porque ela se viu na Bianca e o Pr. Neto quando viu a esposa chorando também foi transportado no tempo para o grande vale e milagre que viveram no CTI há mais de 30 anos. Eles reviveram tudo aquilo e foram tomados por uma ousadia que fez com que ele orasse como se fosse para a sua própria esposa. Isso Impactou a todos e nós orávamos muito alto. E o Pr. Jânio também foi tomado por um mover de muita ousadia. Ele dava ordens ao mundo espiritual e o coração dela acelerou e a respiração também. Nós sabíamos que era o dia do tudo ou nada. E nós saímos de lá muito visitados pelo poder de Deus. Todos nós impusemos as mãos sobre a Bianca".

Fernanda Brum

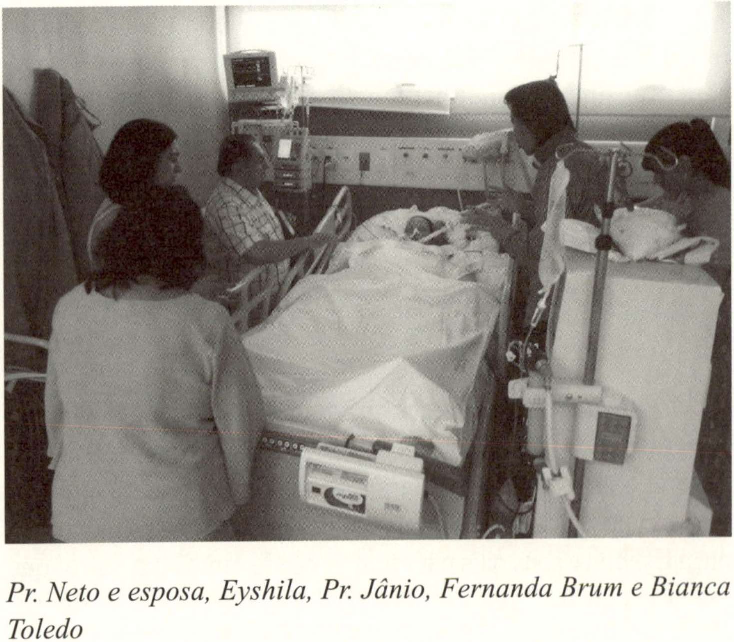

Pr. Neto e esposa, Eyshila, Pr. Jânio, Fernanda Brum e Bianca Toledo

"Tomei conhecimento da enfermidade de Bianca através de uma grande amiga minha, a Fernanda Brum. Logo em seguida percebi, através dos comentários em diversos sites de relacionamento, que havia uma comoção geral, não somente entre amigos íntimos, mas entre pessoas que apenas souberam do que aconteceu com Bianca e resolveram comprar essa briga pela vida dela em oração.

O que me tocou no caso dela, foi que minha mãe passou por uma situação muito parecida. Ela também contraiu uma infecção generalizada que a paralisou por um ano inteiro, deixando a mim e meus dois irmãos gêmeos aos cuidados dos nossos avós, já que o meu pai ficava inteiramente à disposição da nossa mãe. Ela havia sido desenganada pelos médicos diversas vezes, assim como Bianca, e em cada uma daquelas situações de desespero nosso pai pode ver a mão de Deus agindo de forma miraculosa. Um dia a Fernanda ligou pra mim e disse: Amiga, será que dá para o tio Neto e a tia Zulmira (é como ela chama meus pais) irem conosco visitar a Bianca? Ela está entre a vida e a morte. Está vindo de Belo Horizonte o Pastor Jânio, e eu gostaria muito que fôssemos todos juntos orar por ela. Assim como Deus curou sua mãe, eu creio que ele pode curá-la também. Já se esgotaram todos os recursos. Os médicos não acreditam mais que haja cura. Mas nós vamos lutar até o fim! Eu disse: Claro, amiga! É pra já! Convoquei meus pais, que entraram na guerra conosco, e fomos todos juntos para o hospital onde ela estava no Méier. Ligamos para os nossos intercessores e fomos pelo caminho cantando e adorando a Deus. Tenho aprendido que o maior nível de batalha espiritual que existe é a adoração. E naquele trajeto algo inusitado aconteceu:

colocamos um louvor que falava sobre profetizar vida aos ossos secos. Um louvor de guerra mesmo, de batalha espiritual. Estávamos todos em guerra naquele momento. Éramos soldados armados e uniformizados indo para uma batalha pela vida de Bianca. Começamos a adorar a Deus em voz alta e falar em mistérios com Deus, pois nós pentecostais cremos nesta forma de oração, principalmente em situações como esta. De repente eu me vi chorando, clamando e orando por Bianca como se o estivesse fazendo por minha mãe. Naquele momento fui visitada por Deus de forma gloriosa. Chegamos ao hospital, e lá estava Bianca, deitada em seu leito, desfigurada, inchada, entubada, com seus rins funcionando através de máquinas, suas cordas vocais perfuradas pelo cano da traqueostomia, um retrato da dor... Fiquei chocada, confesso. Meus pais por um momento reviveram aquela dor de décadas atrás. Fernanda já estava familiarizada com a cena, pois já a acompanhava desde o começo de tudo. Fui tomada de uma íntima compaixão pela mulher, mãe, cantora, adoradora que estava literalmente acorrentada àquele leito. Comecei a pensar no futuro que lhe seria roubado se sua vida fosse ceifada precocemente. Pensei no testemunho de cura que não seria contado, nos louvores lindos que não seriam entoados, nos beijinhos e abraços que o seu filhinho não receberia. Pensei e comecei a clamar reivindicando sobre sua vida o direito de viver tudo isso e muito mais. Fizemos ali uma corrente de intercessão, onde todos juntos oramos e cantamos louvores a Deus. E eu cantei ao seu ouvido.

Foi tudo muito especial. Visitei enfermos algumas vezes, mas não me lembro de ter vivido algo assim tão profundo. Quando saímos daquele lugar, meu pai olhou para mim e me disse: Estou sentindo muita paz em meu coração. Essa moça não vai morrer. Deus vai curá-la! Glória a Deus!!!!

Existem situações nas quais Deus nos move em favor de alguém. Nessas horas paramos tudo e vamos chorar com os que choram, como ensina a Palavra de Deus. Mas acredito que quando Deus para uma nação para interceder por uma vida há um grande mistério por trás de tudo isso. Um mistério que só seremos capazes de compreender no futuro, seja ele próximo ou distante. Seja nessa vida ou na eternidade. Só o Senhor é Deus! A igreja orou e Deus outra vez ouviu o clamor.

Creio que Deus não faz essas coisas em nossas vidas sem um motivo. Bianca há de ser levantada com poder e autoridade nesse tempo, para testemunhar diante dessa geração que o nosso Deus ainda opera milagres. Sua voz ainda ecoará pelos quatro cantos da Terra, levando cura e restauração. Ela passou pelo vale da sombra da morte e sobreviveu. Aleluia!!"

Eyshila

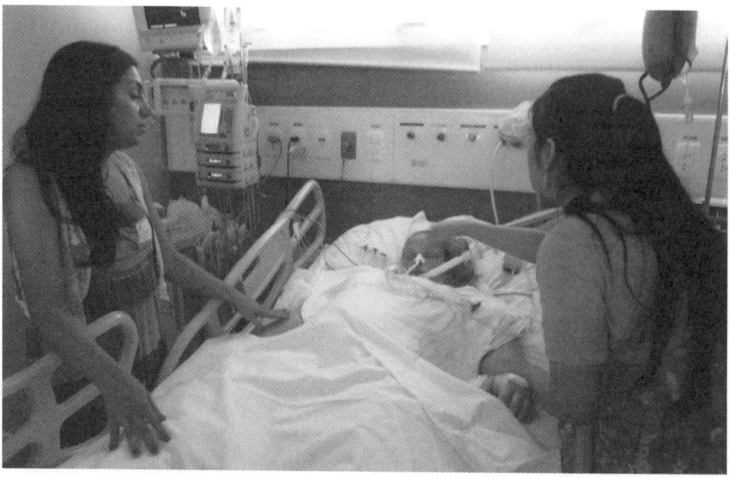

Eyshila, Fernanda Brum e Bianca Toledo

"Em novembro do mesmo ano, Sylvia e eu voltamos a São Paulo para uma conferência, e tiramos um dia para ir ao Rio de Janeiro onde Bianca estava internada, e foi um dos maiores choques de minha vida! Levamos uma máquina fotográfica, e antes de subirmos ao CTI, perguntei à família se poderia tirar fotos, ignorando o real estado físico da Bianca. Eles então me mostraram algumas fotos, que pareciam ser de uma mulher de pele achocolatada como de uma mulata, com o corpo duas vezes maior que o dela. Fiquei curioso, e perguntei porque estavam me mostrando aquelas fotos, que para mim eram de uma outra pessoa, ao que não disseram mais nada e nós subimos. Quando nos deparamos com aquela "pessoa" no CTI, não era a jovem loura de olhos azuis e estatura pequena. Estou acostumado a cenas fortes, por ser pastor, e acompanhar muitas pessoas em salas de emergência com muita frequência, mas ali eu me vi paralisado e sem condições de falar nada: fiquei chocado! Minha esposa teve que me puxar pelo braço e me tirar daquele "transe" que entrei... Bianca estava totalmente deformada fisicamente devido aos medicamentos que tomava para que permanecesse viva. Havia falhas no seu cabelo, seus olhos não brilhavam, e tivemos que lutar contra as lágrimas teimosas que vinham".

Pr. Fernando Pinto, Seara/Flórida

"Fui para o Rio com meu marido Baruk, acompanhando-o numa gravação.

Aproveitei para ligar para a família e saber da possibilidade de visitar a Bianca.

Visita agendada, coração acelerado, cheguei ao hospital. Lembro que assim que adentrei à UTI, a enfermeira me instruiu a lavar as mãos, tirar meus acessórios e que na sequência eu poderia entrar no leito 12.

Enquanto eu lavava minhas mãos, meus olhos percorreram os corredores em busca do leito 12. Ao encontrá-lo olhei a paciente e pensei, a enfermeira me informou o número errado. Meus olhos insistiram em confirmar, mas meu coração insistia em não aceitar que a Bianca estava ali. Porém ao olhar seus acompanhantes reconheci o Renato e a mamãe da Bianca. Confesso que naquele momento fiquei sem chão.

Meus olhos se encheram de lágrimas e quando dei por conta já estava em pé em frente ao leito pronta para cair num longo pranto. Respirei fundo e lembrei que estava ali para levar consolo, força e esperança.

Fiquei de boca aberta ao ver a Bianca. Desfigurada. Muito inchada, a cor de sua pele outrora branquinha, estava totalmente escura. Cheia de aparelhos, curativos, agulhas, respirando com muita dificuldade. Não senti odor algum, mas para mim o cheiro era de morte. Naquele dia, comecei a pensar que a Bianca não fosse voltar a viver. Que seria impossível. Se fosse para ela reviver, isso já teria acontecido, pois seu estado não inspirava a mínima esperança.

Minutos depois o Baruk chegou. Assim que ele entrou na UTI e viu a Bianca, me recordo que sua pressão caiu e que ele ficou muito pálido. Era inacreditável. Ela estava irreconhecível.

Me recordo que conversei com ela. Disse que ela estava bonitinha de tranças e que um batalhão estava orando por ela. Transmiti os recadinhos dos amigos e da galera do Twitter e na sequência orei por ela e por sua família.

Saindo do hospital, caí naquele longo pranto preso em meus olhos e garganta. Fomos para a igreja e não conseguia tirar a Bianca da cabeça. Isso durou diversos dias...

Durante esses dias, muitas vezes, a notícia era de que seu quadro havia se agravado ainda mais... Até então eu não havia desistido dela em oração. Eu orava por cura, pedia para que Deus restabelecesse sua saúde, que operasse esse milagre.

No entanto depois de vê-la, ainda cria no poder de Deus que excede nosso entendimento, mas passei a orar para que Deus cumprisse seu querer... Os telefonemas continuaram, e as notícias continuavam nada esperançosas".

Rebeca Neemer

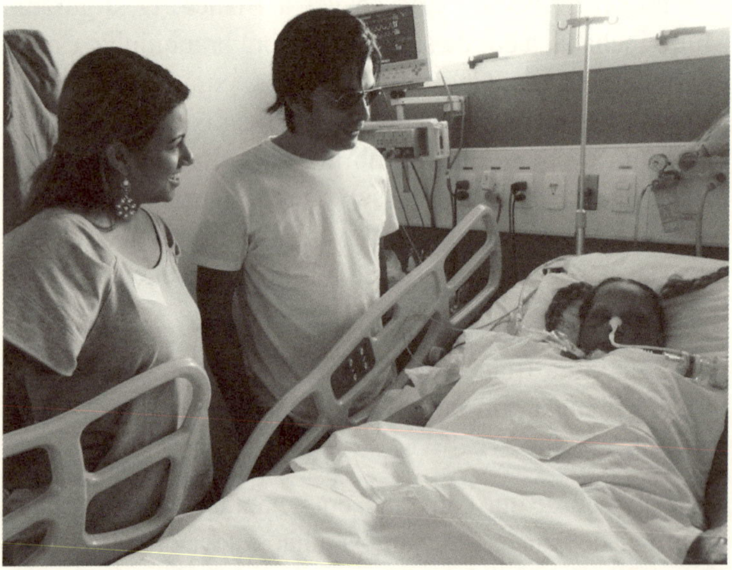

Rebeca Neemer, Paulo Cesar Baruk e Bianca Toledo

Uma campanha pela vida

O verdadeiro Amor nos tira do centro.

E nesta campanha de oração e doação de sangue muitos se esqueceram de si e descobriram que eram melhores assim.

Cada relato que eu recebo me constrange com o cuidado de Deus e o poder do Espírito Santo em mover corações para abençoar seus filhos.

A união de denominações e religiões distintas diante de um só Deus, pelo nome de Jesus, moveu os céus.

Cada uma das pessoas comovidas pelo Espírito Santo a orar, doar seu sangue, seu tempo, e divulgar essa campanha foi escolhida pelo próprio Deus para fazer parte dessa história que de alguma forma modificou a todos através do poder do amor.

"O amor não pensa em si... tudo espera, tudo suporta e tudo crê". 1 Coríntios 13:5,7

"Aí começava a história de nossa bela e abençoada adormecida, que enquanto dormia era blindada por milhares de pessoas que clamaram a Deus pela oportunidade da vida e do José Vittorio ter uma mãe.

No dia seguinte, antes de desembarcar no Rio, ainda no aeroporto recebi a notícia de que os rins da Bianca já estavam falhando. Chegando no hospital estávamos todos em família ainda atordoados com notícia e pela alta possibilidade de perdê-la. Aos poucos a situação ao invés de melhorar foi piorando e a vida da Bianca estava literalmente nas mãos de Deus.

No deserto que estávamos começamos a receber e perceber a solidariedade de pessoas que amavam a Bianca ou ouviram falar do caso e se comoveram. Em pouco tempo existia uma mobilização gigante na internet e redes sociais em favor da Bianca. Aquilo era um grande apoio neste momento de dor. Em minha cidade, recebi o apoio de centenas de pessoas que oraram e me fortaleceram com seu amor e carinho. Foram corresponsáveis por um clamor que ajudou a salvar a Bi".

Bruno Toledo, Irmão

"Quando eu não estava no Rio de Janeiro eu estava o tempo todo ligada pelo telefone nas notícias do quadro da Bianca, e chegando na cidade eu sempre ia até ela.

Até que eu decidi colocar no Twitter e começar essa batalha lançando uma campanha de oração. E várias pessoas e outros artistas começaram a mesma campanha. Foi uma onda de oração e campanha de doação de sangue, e todos começaram a se ligar e orar por ela por 50 minutos, uma hora de oração por telefone.

Nós críamos que aquele movimento de oração estava sustentando a vida dela.

Não abrimos mãos dela e proibimos sua morte totalmente pela fé, guiados pelo Espírito Santo. Eu sabia que ela estava morrendo, mas eu tinha uma fé sobrenatural. Isso não é normal. Falavam de órgãos falidos e nós profetizávamos vida.

Ela tinha tantos fios e tantos tubos, aparelhos, tantas cirurgias e impossibilidades, que nós andávamos firmados totalmente pela fé.

Eu ficava nos meus shows com o celular na cintura durante o show inteiro aguardando notícias da Bianca e sempre que ele tocava, eu parava o show e colocava aquela multidão para clamar por ela".

Fernanda Brum

"Montaram um blog da família para concentrar as informações, e boletins médicos, uma vez que a procura de pessoas por informações era grande. Pessoas de todo o Brasil e exterior acompanhavam o caso. Pessoas que a conheciam da televisão do programa do Raul Gil, das igrejas, eventos e pessoas que não a conheciam, mas que por saber da história se compadeciam e começaram a orar a Deus por ela".

Suely Yanez

"Soube pela internet que a Bianca estava hospitalizada em estado de coma. Algumas pessoas no Twitter comentavam de forma bem simples perguntando umas às outras e falando que estavam orando pela situação, eu entrei em choque e chorei demais a cada palavra que lia. Depois por telefone soube o que havia acontecido.

Demorei a acreditar naquela situação, preocupado e de

mãos atadas só pensava em uma forma de ajudá-los, nada vinha à cabeça devido à enorme preocupação, comecei a orar e pedir a Deus a cura, eu nunca tive a oportunidade de ver alguém curado por minha oração. Meio descrente, mesmo assim continuava a orar ao mesmo tempo pedindo perdão pela pouca fé. Criei o Blog que chegou a ter mais de 60 mil visualizações diárias onde publicava os boletins médicos diariamente. E onde fizemos um relógio de oração de 24 hs".

Mitchu

"Foi a maior campanha de oração feita pelas redes sociais pela vida de alguém. Em todo o Brasil era o nome mais citado no Twitter enquanto ela estava no hospital".

Carlos Alberto

"Depois que criamos o relógio de oração vimos a quantidade de pessoas querendo ajudar, como eu quando soube da Bianca, milhares se prontificaram querendo um tempo de 5 minutos para orar pela Bianca, eu recebia tanto e-mail que tive que criar um somente para o relógio de oração. Ficava cerca de 7 horas na frente do computador atualizando tudo, a cada e-mail pedindo oração eu colocava no Blog. Tive que estender o blog pela quantidade de pessoas: além das novas pessoas, começavam a chegar testemunhos de conversão, de reaproximação com Deus. Meu Deus! Comecei a ver os resultados de todos os acontecimentos com a Bianca e resolvi alimentar mais o blog com vídeos".

Mitchu

"Bianca é uma amiga querida de longas datas e sempre foi uma querida companheira. Diariamente acompanhava ela pelo Twitter, e me lembro de sua felicidade preparando uma recepção para sua mamãe que estava chegando para ajudá-la na chegada do herdeiro. Dois dias depois vi que a Bianca não twittava mais, e uma amiga comentou que ela estava internada e que havia dado alguma complicação em sua gestação. Me lembro que no mesmo instante, ligamos para a família que nos informou seu quadro. Naquele instante, não conseguíamos fazer outra coisa, senão erguer um clamor a Deus pela vida dela. Rapidamente avisamos vários amigos que tínhamos em comum, e também iniciamos uma campanha pelo Twitter pedindo oração pela Bianca e pelo bebê. Dia sim, dia não, ligava para saber notícias da Bianca e saber se havia melhoras em seu quadro clínico... Creio que dentre mais ou menos 30 ligações, umas 4 ou 5 tinham uma leve melhora apresentada pelos laudos médicos. A maioria das vezes, os telefonemas embora pesados e cheios de notícias difíceis, eu desligava consolada pela fé da família. Os médicos sempre os preparavam para o pior. Mas eles diziam que não abriam mão da vida da Bianca e que esse quadro seria revertido".

Rebeca Neemer

"Fiquei sabendo da situação da Bianca pela internet, eu não a conhecia. E o Senhor através dela agiu na minha vida. Quando fiquei sabendo o que lhe tinha acontecido pensei... como pode??? Minha fé já não era a mesma há muito tempo devido a muitas decepções com pessoas da igreja e confesso que pensei que caso existisse um Deus mesmo, como ele poderia permitir isso. Uma serva dele a ponto de não ver mais seu filhinho, ou pior, nem conhecê-lo? E uma vez dormindo olhei para minha filha e o Espírito Santo me mostrou a Bianca, e pensei: eu tenho que orar por ela, mas minha fé é mínima, não posso fazer nada por ela, e comecei a chorar... e Ele me renovou. Através dela o meu Deus fez com que minha fé se renovasse e eu pude ver e confiar naquele Deus que há muito eu tinha esquecido. Pude verdadeiramente voltar para Jesus através de sua batalha, de sua luta. De sua dor... que depois de um tempo se tornou minha também. Naquela noite eu acordei e me compadeci daquela tragédia e percebi o quanto eu estava distante, e orando por você voltei a sentir o Espírito Santo agir na minha vida, eu renasci. Nunca mais me esqueci daquela noite.

A Bianca e o José Vittorio fazem parte da minha história mesmo sem saber".

Debora Fecher

"Meu nome é Fernando Pinto, residente em Orlando (Flórida) por mais de 25 anos com minha família, pastoreando um ministério brasileiro chamado Seara - Assembleia de Deus do Bom Retiro.

Encontrei Bianca Toledo há quase três anos na internet quando buscava um artista no Youtube, e fiquei extremamente impressionado com seu talento e carisma.

Em outubro de 2009 minha esposa Sylvia e eu tivemos o privilégio de conhecê-la pessoalmente, e conferir a bênção que essa serva de Deus representa para o Brasil, através de sua música e testemunho. Quando recebi a notícia pelo Pr. Emerson Pinheiro que Bianca havia entrado em coma, convoquei nossa igreja a interceder incessantemente por ela todos os dias, até constatarmos o milagre completo.

Acompanhamos o blog do Bruno Toledo, quando ele dizia "agora só mesmo Deus para ela sobreviver...", e cada dia eu passava mensagens de texto para todos os membros da igreja e amigos, recrutando a todos para interceder.

Pr. Fernando Pinto, Seara/Flórida

"Fiquei sabendo da sua história pelo Twitter por intermédio da Pra. Fernanda Brum. No mesmo momento que soube, procurei pesquisar quem era Bianca, e achei o site onde conheci as suas músicas, pois ainda não conhecia... Amei todas elas, achei lindas, admirei muito o seu trabalho e na verdade no primeiro momento não entendi por que ela estava passando por tudo aquilo... Então Deus colocou no meu coração a seguinte frase: 'Esta enfermidade não é para morte, é para glória do Senhor...'

Comecei então a orar por ela, mesmo sem a conhecer, e todos os dias visitava o seu blog para saber qual era a situação.

Mais tarde, comecei a seguir também pelo Twitter seu irmão Bruno que também foi um exemplo pra mim, pois nunca vi uma fé tão grande como a dele. Bênção demais, sempre encorajando todos a orar por ela, e a não desistir... O que mais me marcou em toda esta situação foi que, mesmo sem conhecer a Bianca, Deus colocou um amor tão grande no meu coração que não sei explicar, não dormia nem um dia sem passar pelo Twitter para saber como ela estava e para interceder também.

Lembro um dia que fomos ao monte orar pelos jovens da nossa igreja, e neste dia Deus me incomodou para pedir que todos orassem pela Bianca. Contei a história para todos, nós oramos e Deus derramou uma grande unção sobre a nossas vidas, e só conseguia chorar...

Deus colocava a certeza no meu coração que ela não morreria. E orei com fé todos os dias suplicando a Deus pela sua vida, com o mesmo sentimento que orei pelo meu pai quando teve câncer. É muito estranho, mas é verdade. Só Deus pode explicar este sentimento que vem dele, chamado Amor".

Niomara Faria Mendes

"Um Apóstolo, que é líder de uma igreja muito frutífera no sul, utiliza a internet de forma muito evangelística. Então criei uma conta no site que ele utiliza e comecei a segui-lo e receber as revelações de Deus que ele postava. Seguia também a Pra. Fernanda Brum, mas não havia postado qualquer mensagem até então. Foi aqui que a Bianca Toledo entrou na minha vida. Numa mensagem da Pra. Fernanda Brum para a Ana Paula Valadão, do começo de outubro, ela pedia oração pela Bianca, e algo diferente tocou o meu coração que me levou a buscar na internet informações sobre ela, para saber o que havia acontecido e orar especificamente. Conheci um pouco da sua história e comecei a interceder por ela. Até então, algo assim só tinha acontecido com uma pessoa que eu conhecia, mas agora era muito mais sério e muito mais forte. A sua saúde se agravou e coloquei todos os meus amigos, família, vizinhos e intercessores para orar por ela. Sua família postava boletins diários e eu, ávida por informações, comecei a seguir também o seu irmão no site para receber informações. Pedi a Deus que me falasse o que mais poderia fazer por ela, e Deus me pediu um jejum de chocolate (o que eu mais gosto de comer nesse mundo!!) e em outubro, fiz um voto com Deus de que só comeria uma gota sequer de chocolate quando ela saísse do hospital. Eu nunca havia conseguido fazer jejum tão longo antes! E esta foi a primeira vez! Entrei em um nível de intercessão que nunca havia experimentado: de chorar por ela, acordar de madrugada para orar por ela, e no dia em que ela teve a parada cardíaca, Deus havia me acordado às 5h00 e me levou a colocar a música 9 do CD "Apenas um toque" da Pra. Fernanda Brum. Esse CD estava dentro de uma caixa, há muito tempo não o ouvia (desde 2006!) mas para a minha surpresa era uma música que falava de cura, inclusive de pessoas que estavam no CTI, "coração volte a bater, volte a bater...". Eu sabia que Deus tinha feito algo neste dia... depois vi a notícia pelo Twitter e pelo blog. Enquanto acompanhava e participava desta campanha pela vida da Bianca no Twitter me aproximei da liderança a qual passei a seguir através de sinais claros de Deus, e onde durante este período através da busca intensa pela cura da Bianca, minha espiritualidade e meu ministério tomaram uma proporção completamente nova, fui ungida pastora com meu marido, me senti no centro da vontade de Deus exercendo o propósito d'Ele para a minha vida. Eu sabia que Deus ia curá-la e eu via uma multidão chegando para ouvir este milagre. Mas quando recebia alguma notícia desfavorável, eu chorava e orava como se ela fosse uma irmã de sangue, doía de verdade! Meu marido nunca tinha me visto interceder ou orar assim por ninguém! Para ter uma ideia, no dia em que o irmão dela postou que "somente um fio sustentava a vida da Bi" eu estava no meio de uma reunião com os diretores da minha empresa e vi a mensagem numa espiada no celular, não consegui me conter e comecei a chorar copiosamente... assim, no meio da reunião! Eu que nunca chorei no trabalho, ninguém entendeu nada, tive que brevemente contar a sua história, só não falei que não a conhecia, pois aí ninguém ia entender nada mesmo! Saí da reunião, orei e cri que o milagre iria acontecer! Deus havia me falado e Ele não mentiria! Todo esse tempo intercedendo, não houve uma hora do dia em que eu passasse sem orar por ela, Deus me lembrava todo o tempo. Mal conseguia trabalhar".

Patrícia Martins

"Recebi a notícia do que acontecia com a Bianca pela internet, não a conhecia e sinceramente... mal consigo conter as lágrimas enquanto me lembro dos momentos que passei intercedendo por ela.

Cheguei a um ponto de tamanho desespero que fui à casa da minha mãe e deixei um recado na mesa pra ela escrito: "Mãe, ore pela Bianca, ela já teve duas paradas cardíacas!". E minha mãe orou.

Não dá para imaginar o tamanho da minha angústia no momento em que escrevi aquelas palavras no papel. Eu me senti como Jesus naquele momento se sentia.

A angústia era tão grande que cheguei a achar que eu não suportaria.

Fui para casa chorando muito e conversando com Deus. Naquele dia eu disse pra Deus:

'Meu Amado Pai... o que está havendo comigo? De onde vem todo esse amor por uma mulher a qual eu nunca nem vi pessoalmente? Que dor insuportável é essa dentro de mim? De onde vem essa angústia?'

E Deus me respondeu: 'Tudo isso é apenas eu compartilhando com você o que há no meu coração. Seja forte, vai passar. O que você sente por essa moça é um pouquinho do amor que eu sinto por você e por toda a humanidade!'

E eu fui para casa naquele dia e mantive as orações. Chorei muito em oração.

Clamei de uma maneira que eu mesma achei que não ia suportar.

Orei por ela com o amor que um pai ora por um filho.

Quando eu lia os boletins médicos, eu lia tudo aquilo com medo do que poderia vir. Sinceramente tive medo de perdê-la.

Mas o Senhor me sustentou e me disse que não a perderíamos. Disse que ela era parte da minha história e que ela era parte do seu Reino. E então continuei orando. Passei momentos terríveis por causa dela, mas eles me fizeram ser melhor.

Chegou um momento em que eu não conseguia mais interagir com as pessoas porque meu coração parecia ser único e exclusivamente feito para orar e se compadecer pela Bianca.

Eu comecei a pedir para todo mundo orar por ela. Eu fiz a minha igreja parar e orar por ela.

Fiz os meus pastores iniciarem uma campanha de oração e diante do direcionamento de Deus, assim eles fizeram. Minha igreja se prostrou diante de Deus em clamor pela vida da Bianca.

Só de olhar para mim, era visível o meu desespero".

Myara Nascimento

"As notícias chegavam, pouco a pouco, e em sua maioria através de amigos em comum. Quando fui informado de seu problema de saúde, no primeiro momento não tive a noção clara da gravidade. Apenas tive um retrato mais fiel da situação crítica de saúde de Bianca após conversar com meu grande amigo Paulo César Baruk e sua esposa. As informações foram assustadoras! Confesso que fiquei prostrado ao saber da seriedade do problema. Quando perguntei à família o que poderia fazer para ajudá-la e a resposta foi simples e direta: Orar e conseguir doadores de sangue!

Então entendi que precisaríamos de alguma forma mobilizar pessoas para ajudá-la e não haveria melhor ferramenta para essa mobilização do que as redes sociais. Mesmo sempre estando bastante disponível a ajudar em causas positivas, em função de todos os nossos afazeres e compromissos cotidianos, minha participação nestas campanhas sempre se deu muito mais pelo lado financeiro do que propriamente no "arregaçar as mangas". Sempre tive um coração e um bolso bastante participativo para causas nobres, em especial com missões, mas efetivamente envolver-me de corpo e alma numa campanha, confesso que poucas vezes tive esta experiência. No entanto, naquele momento Deus falava claramente comigo que eu deveria dar um passo além do que o habitual e assim foi feito. A mobilização começou através de mensagens trocadas com 2 ou 3 amigos. Recordo-me claramente de comentar com o Carlos André, designer que trabalhava comigo e com a Rebecca Neemer, amiga comum e esposa do Paulo César Baruk sobre a mobilização. Nossas conversas deixaram de ser feitas por DM, de forma restrita e passaram a ser constantes na TimeLine, ou seja, aberta para que todos os nossos seguidores pudessem saber de nossa campanha. O foco da campanha seria duplo: oração e doação de sangue. Começamos a campanha colocando metas diárias de voluntários para doação de sangue. As mensagens da campanha eram enviadas em média a cada hora e retwittávamos toda mensagem sobre o assunto. Aos poucos começamos a perceber a curiosidade das pessoas sobre aquela pessoa, no caso, Bianca Toledo. Como ela ainda era uma artista cult, grande parte do povão ainda não conhecia seu nome ou seu trabalho, então além de contarmos sobre seu problema, também explicávamos quem era aquela pessoa.

Os doadores começaram a aparecer, mas ainda de forma tímida e em número menor do que o necessário. Vez ou outra eu ligava para a família para saber notícias e cada vez mais a situação só piorava. A necessidade por mais doadores de sangue aumentava, e além das complicações, naquele momento tinha a questão da bactéria. Ou seja, parecia que estávamos perdendo aquela batalha! Mas à medida que os dias iam passando, mais e mais pessoas se engajavam no mutirão. Resolvi agir de forma diferente, ampliar a campanha nas redes sociais e partir para a mídia a fim de divulgar o assunto. Escrevi um pequeno release e enviei para meus contatos na mídia gospel. Em pouco tempo, diversos sites aderiram à campanha e começaram a participar do mutirão de oração e doação de sangue por Bianca. No entanto, continuávamos com notícias desalentadoras do seu quadro de saúde e a necessidade por doadores era cada vez maior. Foi aí que comecei a ligar para amigos e convocá-los para esse esforço de doação. Lembro-me que liguei para um amigo de Brasília e pedi apoio junto à sua denominação no Rio de Janeiro. A igreja era a Fonte da Vida, do Apóstolo César Augusto que tem várias igrejas no Grande Rio. Consegui o contato do pastor de jovens de todo o Estado do Rio. Contei-lhe sobre a situação e ele me disse que levaria os jovens para o mutirão de doação. No Twitter, todos os dias eram dezenas e mais dezenas de mensagens conclamando o povo do Rio de Janeiro a fazer a doação de sangue. Na própria empresa em que eu trabalhava estimulei a ida dos funcionários para a doação e foi então que percebi que eu estava tornando-me um grande mobilizador de pessoas, mas faltava incentivar uma pessoa em especial para doar o seu sangue e aquela pessoa era justamente eu mesmo!

No dia seguinte dirigi-me ao hospital no Centro do Rio de Janeiro para onde todos os doadores eram direcionados. Preenchi a ficha e informei para quem eu estaria doando meu sangue. A atendente me perguntou se eu conhecia aquela pessoa, pois nos últimos dias muitas pessoas estavam dirigindo-se até o hospital para doar sangue especificamente para esta pessoa. Lembro-me que a atendente me perguntou:

Essa pessoa é alguma artista, é uma pessoa muito importante?

E eu de imediato respondi: Sim! Ela é muito importante não só para todos nós, mas principalmente para Deus! Ele está mandando toda essa gente para doar sangue para ela!

Não tenho ideia de quantos doadores conseguimos mobilizar na campanha da Bianca.

Imagino que tenhamos mobilizado entre 200 a 300 doadores, mas isso não importa. O que posso garantir a todos vocês é que, especialmente para mim, estar naquele hospital doando um pouquinho de mim para a Bianca foi algo que fez infinitamente melhor a mim mesmo do que à própria amiga. A sensação que tive ao levantar-me da cadeira de doação foi absolutamente maravilhosa!”

Maurício Soares, Diretor A&R Gospel Sony Music

O poder da oração

A oração de intercessão é um ato de amor.

Quando saímos da petição para a intercessão transferimos nosso esforço em buscar aquilo que precisamos para a necessidade e preocupação com o próximo.

Sou fruto de um clamor persistente.

Enquanto as pessoas oravam por mim, vidas eram transformadas em todo o lugar.

"Sem entender a princípio como e porque, fui sendo tomado por uma fé nunca antes experimentada por mim e uma intimidade com Deus que me dava a certeza de que aquilo apesar de loucura para nós era o plano de Deus, que Ele estava no controle desde o começo e que um dia a verdade e os motivos nos seriam revelados. Passei a orar como nunca antes e a experimentar a cada dia do amor de Deus, que até sinais me dava para que eu sempre soubesse que Ele ao meu lado estava.

Sempre que orava pela Bi, via água em minha mente. Em um dos dias de visita na UTI, lembro-me de ficar orando do lado de fora e ouvindo a música "Águas que fluem do trono", para me preparar para a cena que sempre nos chocava e a mim particularmente fazia muito mal.

A Bianca já parecia um corpo sem vida. Inchada, cheia de drenos, amarela... Era desesperador vê-la naquele estado e receber diagnóstico atrás de diagnóstico de que o corpo dela estava no limite e que ele poderia entrar em colapso a qualquer momento. E neste momento de louvor, oração e conversa com Deus pré-visita, eu me lembro de mais uma vez eu ver água em minha mente e num momento de fraqueza eu disse a Deus: Pai eu sei que você está comigo, eu sinto isto, mas a cada diagnóstico vou enfraquecendo. Me mostra Pai... Me mostra que não estou só. Neste exato momento algo me disse: – olhe pela janela abaixo. Lá em baixo tinha uma fonte de água que decorava a entrada do hospital.

Ao ver aquela água e já ter visto a imagem de águas em visões, pensei: é um sinal.

Lembro-me de falar: – Deus, mas esta fonte sempre esteve aí... Este é o sinal?

Bem... Fui para a visita, saí arrasado como sempre e desci para orar e recuperar minhas forças. Sentei com minha mãe exatamente no lugar que Deus me mandou olhar e que tinha aquela fonte. Estávamos conversando e eis que ouvimos um estrondo. O hidrante que existia exatamente no lugar onde eu tinha olhado se rompeu e um jato de água foi lançado a metros de distância com uma força impressionante. Lembro-me de minha mãe ter assustado e perguntado o que é isto? E eu ter respondido: É o sinal!... Sinal de que Deus está no controle. Deus quis me dar certeza de que o controle sobre a vida e a morte eram dele e que ele estava ali fazendo cumprir seus planos. Incrível o zelo de Deus que sempre que via que eu poderia esmorecer, encontrava uma forma de me mostrar que estava comigo.

Certa vez orando no meu quarto e quebrantado diante de Deus, eu toquei a Bíblia com as duas mãos ainda úmidas com óleo ungido e quando olho para as páginas, vejo minhas mãos impressas nas páginas, só que com furos no centro delas. Chorando eu disse: eu sei Deus... Eu sei que estás aqui.

Foram inúmeras cirurgias, dezenas de complicações, falências de órgãos, paradas cardíacas, várias sentenças de morte para nos mostrar que o nosso Deus é o senhor da vida e que ele tinha um plano não só para a vida da Bianca, mas para cada um que participou deste episódio. De perto ou de longe.

Ouvi dezenas de testemunhos de pessoas que disseram ter voltado a orar após o caso da Bianca. Pessoas que se reaproximaram de Deus, foram curadas na alma e no físico e que puderam ser tocadas pelo Deus do amor. Eu mesmo pude provar de um amor e um cuidado divino nunca antes experimentado ou imaginado por mim.

Vi e vivi o sobrenatural de Deus na vida da Bianca e creio que os planos de Deus ainda estão sendo revelados. Muito ainda está por vir.

A Bianca certamente foi escolhida para levar uma mensagem de fé, esperança e cura para multidões. Este mover está apenas começando.

Quem viu a Bianca no estado que ela estava, ouviu dos médicos o que ouvimos e hoje a vê pregar sobre cura e o amor de Deus, certamente não consegue fazer isto sem se emocionar e declarar: - O Grande Deus foi por ela. A Ele toda honra, glória e louvor".

Bruno Toledo, Irmão

"Deus ouviu os corações das muitas pessoas que pediram, oraram, rezaram, falaram com Ele e tiveram uma atitude altruísta de se permitir amar e pedir em prol desse amor. Amaram a vida da Bi. Conheço pessoas que não são cristãs e que estavam no relógio de oração, muitas por sinal, pessoas que esqueceram dos seus próprios problemas de saúde para orar pela Bi e conseguiram atravessar quimioterapias, com mais força e fé. O que pode modificar qualquer situação aqui neste mundo é a atitude das pessoas e eu vi pessoas unidas pelo amor, pela compaixão, pela empatia, afinal foi isso que Jesus veio nos ensinar não? "Ama teu próximo como a ti mesmo". E foi assim que ela foi amada por todos que oraram, acreditaram, estiveram ao seu lado, ou estiveram longe, choraram, e sorriram."

Patrícia Toledo

"Eu orava todas as noites na varanda olhando para as montanhas e imaginando que do outro lado estava minha filha naquele lugar frio, sozinha, e eu pedia a Deus que ficasse com ela".

Regina Flora, Mãe

"O clamor a Deus pela vida da Bianca era constante, pelas frequentes cirurgias, falta de coagulação do sangue, dificuldade de cicatrização, hemorragias, infecções, febres, bactérias em seu corpo (inclusive a superbactéria KPC que matava centenas de pessoas nos CTIs de todo Brasil)... o tempo todo "a vida da Bianca estava por um fio".

O Apóstolo Estevam Hernandes estava com uma caravana em Israel em um palco, em cima do Mar da Galileia, ao vivo, pela TV Gospel, sintonizado por vários países, num momento de oração e clamor, orou pela Bianca, mesmo sem a conhecer chamando a igreja em todo o mundo para esta guerra pela vida dela.

Nas madrugadas, por todos os meses, bispo Sérgio Madaleno no programa Encontro com Deus, ao vivo, orava pela Bianca, como pedido fixo, sem conhecê-la, dizendo que essa era uma guerra do Corpo de Cristo. E junto com ele vários países acompanharam e oraram junto.

Não tinha como mensurar a quantidade de pessoas nesse processo!

Pessoas que não oravam a Deus começaram a orar, em favor da cura da Bianca. Ficamos impactados como Deus, por meio da vida da Bianca, aproximou diversas denominações para estarem orando pelo mesmo propósito: vida, ressurreição, restauração!

Sabíamos que Bianca viveria para ser totalmente curada, tratada, transformada... e que com sua própria experiência, seria instrumento para levar pessoas à salvação, cura e transformação! A vida da Bi estava muitas vezes por um fio... e o povo clamava!

A cobertura de oração por sua vida foi necessária. As palavras dos médicos diziam "difícil", mas sabíamos que a última palavra era de Deus. Mais complicações, mais cirurgias, complicações das cirurgias, problemas de coagulação do sangue, paradas cardíacas, traqueostomia, necessidade de doações urgentes de sangue, centenas de transfusões de sangue.

Fui acordada várias vezes com sonhos e sensações de aflição, para orar por ela... e isso aconteceu também com o Mitchu e Talita Pagliarin. Repreendíamos em Nome de Jesus o espírito de morte. Clamamos pela vida e ressurreição... uma nova chance... chance de cuidar do bebê, de ser mãe, de ser testemunha do poder de Jesus.

Tínhamos muitas visões, revelações, foi um tempo muito intenso na presença de Deus. Ele nos mostrava direcionamentos para oração... foi muito profundo e forte vivermos tudo isso. Parecia tudo sem sentido, mas tínhamos muito temor e buscamos de Deus intensamente... Algumas vezes sentia muito medo de que a Bianca morresse... e esse medo só ia embora quando orávamos... Por isso, era o dia todo em oração e orações em momentos maiores em concordância com meu esposo. O clamor pela vida da Bianca, do José Vittorio e de toda a família foi intenso. Foram blindados por oração e amor... muita oração, muito amor..."

Suely Yanez

"E quando ela começou a melhorar eu comecei a notar o tanto de coisas em mim que haviam mudado... Como Deus havia operado em mim... Como eu havia crescido espiritualmente... E percebi o quanto eu havia aprendido com ela.

Aprendi a ser mais forte diante das situações, aprendi a não me dobrar perante a dificuldade, aprendi a perseverar na fé, aprendi a caminhar alinhada com a vontade de Deus, aprendi a aplicação de 'amar o próximo como amas a ti mesmo!' aprendi tantas coisas... Mas principalmente aprendi a ver com os olhos da fé porque para Deus NÃO há impossíveis".

Mayana Nascimento

"Eu nunca orei tanto por alguém na minha vida, ainda mais alguém que eu nem sequer conhecia".

Eduardo Vitolo Chaves, Membro da IBCBarra

"Passei a orar em cada pedaço do hospital diariamente. Conversava com Deus como nunca antes. Todas as vezes que eu entrava na UTI eu via a Bianca bem, não me importava se ela estava entubada, enorme, negra, sem cabelos, pintada, inchada... eu olhava e a via bem. Já não sentia mais a necessidade de orar por ela, mas entrei numa esfera de agradecimento por ela estar viva. E só orava pelos leitos que estavam ali. Passava orando por cada leito em silêncio, às vezes com as mãos sobrepostas. E seguia repreendendo todo o espírito de morte que transitava naquele espaço.

Em todo tempo eu era afrontado com relação a minha fé, por pessoas que visitavam a Bianca e diziam: – quero ver esse seu Deus. Cadê Ele? Mesmo que você reze, ela não vai sair dessa, humanamente é impossível.

E minha resposta era sempre a mesma: – Por isso Deus vai operar um milagre, pois para os humanos é impossível, mas esse é o melhor local de atuação dele".

Mário Sergio, Amigo da família

"A Bíblia diz que o Senhor é o mesmo ontem, hoje e eternamente, mas por vezes nos percebemos crendo que os milagres do tempo de Jesus não acontecem da mesma forma hoje, visto que as químicas, medicamentos e tratamentos parecem levar a fama que deveria ser endereçada ao Senhor. Pois no caso de Bianca Toledo, não dá pra fazer o menor esforço em dar o crédito do que aconteceu à obra da medicina ou da ciência. Bianca estava morta por depender de vários aparelhos e por estar apodrecida em todo seu corpo com infecções múltiplas. Para a medicina, algo sem volta. Os médicos não poderiam apostar 1% que fosse que aquela moça sairia do coma de quase 60 dias. E, se saísse, nunca poderia se recuperar e viver saúde plena. Mas a oração de nossa igreja e de uma multidão de irmãos em várias partes do mundo provou que quando este povo cheio de defeitos que somos nós, se une para orar, não tem jeito: vai acontecer milagre. Bianca nunca vai poder duvidar de nada na vida. Ela é um milagre em movimento".

Pr. Josué Valandro Jr.

"Toda vez que a gente chegava perto da Bianca pra orar tinha uma presença de Deus muito forte e nós saíamos do hospital com essa presença de Deus muito violenta".

Fernanda Brum

"A experiência que tivemos através da vida da Bianca Toledo foi um presente de Deus muito especial, um verdadeiro suprimento de esperança do céu, porque naquele momento enfrentávamos uma situação muito parecida com o nosso filho, o Bispo Tid. Através de sua luta, encontramos forças para clamar, orar nas madrugadas e em todos os momentos, pedindo que esse milagre na vida dela fosse um sinal desse poder ressuscitador de Jesus Cristo. E a cada informação que recebíamos, a cada passo sentíamos que deveríamos ir além. Mesmo quando as notícias eram as piores, o testemunho da Bianca nos movia a nunca desistir, mas crer e não abrir mão daquilo que cremos. À medida que pedíamos, com amor, doadores de sangue, clamávamos e pedíamos para o povo orar através da Rádio e da TV, nos fortalecíamos, e a Bianca passou a fazer parte da nossa luta e desafio em ver nosso filho ressuscitado."

Ap. Estevam Hernandes

O retorno

"Recordo da primeira vez que Bianca abriu os olhos e olhou para mim. Foi tão marcante que eu não conseguia dizer nada, mas em pensamento glorificava a Deus.

O corpo dela estava praticamente destruído. A fisionomia, nem preciso tecer comentários, pois as fotos falam por si. Mas, a mente dela parecia estar hiperligada.

Eu me senti muito mal, pois imaginei como seria estar preso dentro do próprio corpo".

Mário Sergio

"Para nós, o fato de ela estar acordada e sem sequelas cerebrais era um grande milagre. Eu via que Deus estava respondendo, e nós sabíamos que Ele ia fazer mais. Quando ela acordou eu disse: agora nós vamos até o fim".

Fernanda Brum

"Foi muito difícil ver minha filha acordada, prisioneira do próprio corpo. Se eu pudesse trocava de lugar com ela".

Regina Flora, Mãe

Tenho alguns flashes de memória fragmentados que certamente fazem parte dos momentos em que minha consciência oscilava, meus olhos abriam e fechavam. Me lembro do meu irmão Bruno e da minha cunhada Renata, perto do leito dizendo:

– Oi Bizinha, oi Bi... Nós estamos aqui, viemos te ver.

Minha irmã Ciça dando tchau de longe, com aquele sorriso compassivo de amor, mas apreensivo, com um fiozinho de esperança.

Quando aos poucos ficava mais presente me lembro da preocupação de todos em dizer que muitas coisas boas estavam acontecendo, a família estava unida, todos indo à igreja clamar pela minha saúde, estavam mais próximos de Deus. Sabiam que isso me alegraria então me contavam com alegria. Pareciam dedicados a me dizer:

- Fica! Volta! Deus está melhorando o mundo para te receber.

De alguma forma aquelas boas notícias me faziam bem.

Todos eram amorosos, esforçavam-se para parecer bem, chegavam sempre sorrindo na hora da visita, eles estavam diferentes, davam o melhor de si.

Com o tempo fui percebendo que eu não tinha movimentos. Apenas abria e fechava os olhos. Minha respiração estava diferente, não entrava ar pelo nariz.

Eu não sabia que havia um tubo no meu pescoço, apenas percebi que algo estava diferente. Meus braços e pernas eram pesados e meu pescoço precisava de apoio.

Não tinha expressão fácil, era difícil até mesmo piscar

os olhos.

Eu tinha muitas lembranças de uma realidade paralela que vivi enquanto dormia.

Lembranças de sonhos tão reais que aos poucos fui percebendo que, se aconteceram, foi em outra dimensão. Agora eu estava em um leito, vestida com uma camisola branca, muitos fios, tubos, drenos, muitos aparelhos ligados em mim, um barulho contínuo de bips por todos os lados, luzes acesas constantemente, e no fundo um som, uma música, que com o tempo fui percebendo que eram louvores.

Eu estava só.

Olhei para os lados e não vi ninguém.

De repente algumas enfermeiras passaram pelo meu Box olharam para mim e sorriram.

E então acenavam com a mão e diziam: – Bom dia Bianca!

E por um instante aquele nome parecia familiar para mim. Até que pela terceira ou quarta vez percebi que era o meu nome. Então minha surpresa foi perceber que todos ali sabiam meu nome e falavam comigo com muito carinho e intimidade.

Tudo era novidade para mim. Mas eu não era novidade para todos ali. Muita coisa já havia acontecido.

Eram 52 dias de coma, além dos dias na Emergência, lutando diariamente pela vida.

Todos me conheciam muito bem. Mas para mim, eu havia acabado de chegar. Um relógio de parede ficava fixado em frente ao leito onde eu estava, e às vezes eu conseguia decifrar os ponteiros quando minha visão não embaçava. As horas passavam e eu continuava na mesma posição, minha mente vagava e eu esperava que alguém me dissesse o que eu estava fazendo ali.

Lembro-me que minha família ia sempre no mesmo horário, e quanto mais consciente eu estava melhor a sensação que eu tinha quando eles chegavam.

Certo dia minha mãe me disse: – Bi, o José Vittorio está bem, está em casa.

Eu não consigo imaginar o que meus olhos disseram diante dessa frase, mas sei que meu coração estremeceu tentando decifrar em alguns segundos tudo que havia acontecido ali. Eu não me lembrava que eu estava grávida. Eu não lembrava nada da minha vida, a não ser das pessoas que estavam ali me visitando.

Eu estava ali sozinha, havia parado no tempo. Mas o nome dele ecoou dentro de mim. Meu filho, minha herança, eu o gerei por 36 semanas, escrevi o seu nome na porta do seu quarto que eu mesma decorei e preparei para recebê-lo. Até então não me lembrava disso. Só sabia que algo muito grave havia acontecido comigo e eu estava vazia, minha barriga estava aberta, e ele não estava mais ali. Eu não sentia sua falta, estava anestesiada, perdi seu nascimento, não o conheci.

Fui levada para uma viagem cheia de sonhos e pesadelos terríveis, uma sequência de cenas onde uma luta era travada, e quando acordei estava cansada, confusa, mas viva, e segura por estar de volta.

Minha mãe me disse: – Filha, aos poucos nós vamos te contando o que aconteceu.

Os dias se passavam

A rotina do CTI era sempre a mesma.

Logo cedo, por volta das 7 horas da manhã, começava a troca de turno e aqueles que passaram a madrugada percorriam todos os leitos relatando aos que chegavam como havia sido a noite de cada paciente. Eles passavam e falavam de mim como se eu não estivesse ali. E eu observava atentamente o que eles diziam, apesar da minha aparência não indicar o nível de lucidez que eu fui adquirindo.

Das 8:30 às 9 horas começava a movimentação das enfermeiras para a hora do banho. E elas transitavam com uma bacia de metal e pilhas de lençol.

Eu aguardava ansiosa pela minha vez. Depois de uma madrugada interminável olhando para o relógio finalmente alguém iria falar comigo e tocar em mim.

A hora do banho passou a ser o momento mais esperado. À noite eu não dormia, com as luzes acesas, as máquinas apitando e a movimentação da equipe, a troca dos medicamentos, a troca de fraldas, os exames de Raio X. Isso tudo me deixava com medo de dormir e acordar assustada com alguém me olhando ou me manipulando.

Então eu aguardava a noite toda que a manhã chegasse e houvesse a troca de turno. Vinham 3 ou às vezes 4 enfermeiras para o banho porque eu estava muito pesada, uma perna minha era o meu quadril hoje, chegando a mais de 100 kg de edema e completamente imóvel. Era difícil para elas e eu percebia isso.

Elas conversavam comigo e eu com o olhar atento prestava atenção em suas palavras. Mas algumas vezes também conversavam como se eu não estivesse ali. E isso era muito estranho.

Mas por algumas horas eu tinha o toque e a companhia dedicada delas.

E logo eu me arrependia de ter desejado aquele momento quando o banho terminava e todo o lençol precisava ser trocado comigo deitada, imóvel e cheia de acessos e tubos. Às vezes o tubo da traqueostomia soltava do pescoço e aquilo me assustava porque fazia um barulho muito alto e parecia que eu ficava sem ar. Eu não tinha movimento nos braços para colocá-lo de volta e eu pensava que isso podia acontecer quando ninguém estivesse ali.

Aos poucos percebia sutilmente a mão de Deus cuidando de mim quando uma enfermeira enquanto me tocava cantava louvores e adorava a Deus.

Algumas vezes elas oravam por mim falando baixinho, como se falassem para si.

Minha situação era muito triste e eu percebia que em alguns momentos eles se compadeciam de mim e diziam enquanto lutavam contra as terríveis febres de madrugada, me enxugando encharcada de suor:

– Deus, tem misericórdia da sua filha!

Me lembro de uma vez que uma enfermeira de outro andar passou por ali, onde alguns curiosos às vezes também passavam e ela disse: – tadinha dela, ouvi dizer que ela é cantora, o que será que aconteceu?

E a outra respondeu: – ela teve um bebê, mas teve complicações, uma grave infecção. Que Deus a ajude. E eu acordada, olhando pra elas e tentando entender porque agiam como se eu não estivesse ali.

Mas observando e ouvindo eu ia juntando as peças daquele grande quebra-cabeças e voltando para o mundo real.

Hoje penso que Deus cuidou de mim de uma forma muito especial, porque a maior parte da equipe de enfermagem que trabalhava naquele CTI era cristã e a linguagem deles era familiar para mim na maior parte do tempo. Me diziam que suas famílias e igrejas estavam orando por mim em vigílias e nos montes.

Sempre no mesmo horário chegava uma enfermeira diferente empurrando uma máquina grande que eu não imaginava o que era.

Ela ligava alguns fios na minha perna e eu via que circulava sangue por ali, entrava na maquina e saía, e esse processo durava muitas horas. Ao ponto da enfermeira dormir em uma poltrona ao lado.

Na verdade eu não sabia o que era aquilo. Demorei muito para saber que era a máquina de hemodiálise e muito mais ainda para entender o que significava precisar disso.

Com o tempo já estava familiarizada com algumas enfermeiras e elas sorriam e tentavam me alegrar. Eu mexia apenas os olhos e com o tempo um pouco dos braços. Não podia sorrir, mas de certa forma às vezes achava graça de algumas delas.

Chegavam do fim de semana com histórias para contar, de onde foram e o que fizeram e eu pensava que havia uma vida lá fora.

Eu não lembrava da minha vida como era, mas queria estar em pé e fora dali. O que era inimaginável diante do peso das minhas pernas e de todo o meu corpo. Eu me imaginava levantando e saindo, mas estava presa em um corpo que vencia todos os dias para eu estar ali.

Me lembro que meu primeiro movimento que me trouxe uma sensação incrível de autonomia foi quando com muita dificuldade consegui levantar um dos braços e tocar a outra mão puxando um pregador que havia no meu dedo (oxímetro) piscando e apitando que me incomodava e apertava meus dedos, então eu consegui puxar e jogá-lo no chão. E de repente os aparelhos sinalizavam que eu havia tirado o oxímetro e logo alguém vinha para colocá-lo de volta. E eu percebi o que poderia fazer para ter companhia.

E eu passava ele de uma mão para a outra. Claro que muito devagar e com uma dificuldade imensa, mas depois de meses parada e depois de acordada por algumas semanas completamente imóvel foi meu primeiro movimento. Me sentia rompendo limites. Me senti viva.

Meu silêncio

Minha família percebendo minha consciência latente parecia aflita em saber o que eu estava pensando. E me faziam muitas perguntas.

Falar era impossível por causa da traqueostomia.

Eu não tinha mais expressões faciais para mexer os lábios e simular a fala sem som. Meus braços se mexiam muitíssimo pouco e a musculatura das minhas mãos tinha encurtado e tinham forma de garra.

Meu pescoço não tinha força nem para o sim nem para o não.

Então eu chorava.

E por muitos dias eu segui assim.

Todos os dias um pouco antes das 15 horas as enfermeiras vinham me trocar, me arrumar para o horário de visitas. O leito subia, descia fio pra cá, fio pra lá, arrumavam meu cabelo, às vezes com tranças e chuquinhas, passavam cremes, arrumavam os lençóis, a camisola, e eu parecia uma boneca, me viravam para um lado e para o outro e de repente eu estava quase sentada de frente para a entrada aguardando os familiares que chegariam a qualquer momento. Abriam a cortina e diziam sua família está chegando.

Lembrar desse momento me dá até uma certa euforia porque ele era tudo pra mim. Eles chegavam sempre arrumados e sorrindo.

Minha mãe vinha todos os dias com o Renato, a Patrícia também, por um período, e às vezes meu irmão Marcelo. Meu irmão Bruno e minhas irmãs já tinham ido muitas vezes enquanto eu estava inconsciente.

Eu costumava passar a noite toda acordada por causa do barulho do CTI e também porque não gostava de dormir e acordar assustada com alguém tocando em mim para medicar, tirar sangue ou qualquer outra coisa. Então quando o dia começava eu aguardava ansiosa pelo horário da visita.

Até que aquelas horas intermináveis passavam e chegava minha família.

Por causa da insônia da madrugada e dos medicamentos diurnos eu não tinha controle sobre o sono e relaxava quando eles estavam por perto então eu dormia sem querer.

E quando eu acordava, eles não estavam mais lá.

Era muito difícil para mim ter esperado tanto tempo por aquele momento e perdê-lo.

Eu ficava frustrada, triste e pensava: – Eu não acredito que eu dormi e perdi as únicas duas horas de visita do dia! E eles foram embora sem se despedir de mim!

E novamente ficava aquele vazio e novamente eu

voltava a acompanhar os ponteiros do relógio e aguardava ansiosamente pelo dia seguinte, onde por um pouco de tempo eu teria a companhia daqueles que entendiam o meu olhar.

Imagino a apreensão deles em saber que agora eu estava lúcida, eles tinham que me contar tudo o que aconteceu. Não sabiam o que se passava em minha cabeça, e eu ainda estava em uma situação terrível, lutando contra o controle das bactérias, com respiração artificial, rins paralisados e o abdômen aberto.

Eu percebia a mudança que havia acontecido em cada um deles durante os dias terríveis em que estive em coma, e o cuidado e amor que tinham por mim. E eles diziam:

"Bi, você não faz ideia da quantidade de pessoas que está orando por você. Existe um movimento no Brasil todo por sua causa".

Eu realmente não tinha a menor ideia daquilo que Deus estava fazendo, nem do exército que Ele havia levantado para orar por mim.

O CTI é um universo paralelo onde não existe passado e nem futuro.

Cada minuto é um desafio e a luta pela vida é a rotina de todos os dias.

Me contaram tudo que havia acontecido comigo, mas claro me pouparam de muitos detalhes. Sabendo do tempo que havia passado e sentindo os dias em que já estava acordada, e sempre na mesma posição, eu pensava: – Estou há semanas sem comer. Vou morrer de fome. Como é possível. Meses sem escovar os dentes. O que vai acontecer comigo?

Tudo isso eu pensava em silêncio e chorava.

E minha mãe perguntava: – Por que você está chorando? Você está sentindo alguma dor? E ela começava a apontar para cada parte do meu corpo. Dizendo: dói aqui? Dói aqui?

Eu não tinha como expressar que a dor que eu sentia era na alma por estar presa em meu corpo sem fala, e sem a mínima expectativa de voltar à vida.

Depois de muitas tentativas, consegui levantar um dedo, que era uma tentativa de sim e balançando se tornava um não, e graças a Deus conseguiram entender. E por muitos dias essa era minha fala.

Os fisioterapeutas vinham à tarde e movimentavam meus braços, pernas e minhas mãos, e a dor que eu sentia era uma tortura. Começaram a tentar um desmame do respirador e voltar a respirar depois de meses de respiração artificial é definitivamente terrível. É inexplicável.

No respirador a oferta de ar é de 60 a 70% de oxigênio diretamente no pulmão e no ambiente temos 21% de oferta e por isso o desmame gera uma sensação de sufocamento.

E todos os dias vinha um fisioterapeuta e começava a movimentar meus braços e mãos e eu chorava de dor. E eles diziam: Bianca, isso é pro seu bem. Senão seus braços vão encurtar e vão ficar deformados. E aquilo doía muito. Então quando eu achava que tinha acabado eles tiravam o respirador e diziam, se você quer sair daqui precisa sair do respirador. De repente todo ar ia embora e eu suava em bicas tentando com todas as minhas forças puxar o ar para dentro.

Desligavam o tubo do meu pescoço e diziam: – Hoje é por duas horas.

Saíam do Box e eu ficava ali, eu e o relógio.

Puxava o ar com uma dificuldade imensa e contando os minutos desesperadamente.

Muita falta de ar, sem poder pedir socorro.

Eu acenava com o antebraço com muita dificuldade pedindo que eles voltassem e me devolvessem o respirador.

Esse processo parecia não ter fim, e quando eu via alguém que me lembrasse um fisioterapeuta, eu acenava incessantemente para que voltassem. E algumas vezes eu conseguia.

Respirar naquele momento para mim era o meu maior desafio.

Então, em alguns desses eternos segundos eu descobri que se eu me imaginasse bebendo alguma coisa isso me acalmava. Então eu escolhia o que queria beber e passava horas imaginando sabores, texturas e temperaturas. Sabores de fruta, água de coco e até refrigerante.

Até que uma vez a Psicóloga teve a ideia de trazer um quadro de letras para tentar fazer com que eu apontasse e formasse alguma frase.

E o Renato aprimorou este quadro aumentando o tamanho das letras e trouxe para mim. E me disseram: aponte as letras! Fale alguma coisa!

Eu chorei muito nos primeiros dias quando percebi que não tinha coordenação para apontar uma sequência de letras sequer e por horas eles faziam uma série de perguntas que passavam longe do que eu queria dizer.

Então um dia com muita dificuldade eu ergui a mão e consegui juntar algumas letras formando a frase:

– Quero suco.

De tudo que eles podiam imaginar que eu diria, certamente isso foi uma surpresa e a reação não podia ser outra. Todos sorriram e disseram:

– Como assim você quer suco? Você quer suco do quê?

E eu comecei a apontar o nome de todos os sucos que eu estava bebendo nos últimos dias por horas e horas na minha mente aliviando a secura da minha boca que não via um gole de água há mais de 70 dias.

Então eles pegavam uma gaze e molhavam a minha boca, e isso já trazia um pouco de alívio. Mas eu não podia sonhar em engolir nada.

Espírito Santo, fica comigo

Fui adquirindo uma lucidez muito próxima do normal, o que tornava cada dia mais difícil de suportar aquela realidade imóvel e completamente dependente.

Eu precisava de um milagre. Não tinha muita ideia do quanto, mas sabia que não suportava mais estar ali.

Então nas visitas a minha mãe e o Renato faziam massagens, me abanavam, e faziam de tudo para tentar me relaxar e por algumas horas eu tinha conversa, companhia, era maravilhoso.

Uma vez levaram um laptop e disseram que queriam me passar um filme, tudo que me diziam parecia grego, mas eu atentamente observei eles colocarem o vídeo e de repente aparece meu irmão Bruno com sua esposa Renata e seus dois filhos gêmeos de cinco anos em um vídeo feito para mim. E nele eles oravam por mim, dançavam para mim e diziam que queriam me ver fora do hospital e que tinham escrito uma carta que seria lida para mim naquele momento.

Eu não pude terminar de assistir. Comecei a chorar

muito. Me emocionei demais. A realidade era muito dura pra mim e eu precisava concebê-la homeopaticamente.

Um dia me disseram: – Bi você teve duas paradas cardíacas. Uma com mais de 6 minutos. No outro dia me disseram: – Você passou por uma cirurgia no pulmão, porque teve um edema pulmonar.

E assim eu ficava sabendo aos poucos o que havia acontecido.

Às vezes ninguém aparecia no horário da visita e logo vinha alguém me dizer que estavam reunidos com os médicos discutindo meu tratamento.

Todos os dias o Cirurgião Geral vinha fazer curativos no meu abdômen, onde havia uma gastrostomia e duas grandes fístulas, mas eu não sabia. Não me deixavam ver.

Eu gostava muito quando ele chegava porque eu sentia paz e confiança. Ele era diferente.

Certo dia ele me disse: – Bianca, eu sou Pastor. E minha igreja está orando muito por você. Existe uma guerra pela sua vida! Você está orando?

Eu acenei negativamente com o dedo dizendo que não conseguia orar.

Minha mente ainda não coordenava as ideias, nem tinha conhecimento suficiente do contexto para organizar uma oração.

Nesse momento o cuidado de Deus de forma detalhista se revelava para mim quando vi que as mãos que Ele havia escolhido para me operar eram as mãos de um Pastor.

Então, depois desse dia eu sabia que eu precisava orar.

Aquela frase ficou na minha mente então eu dizia mentalmente o tempo todo:

– Espírito Santo, fica comigo!

E hoje eu sei que Ele zelou cuidadosamente por mim.

Todos os dias vinham enfermeiras de outros lugares, e instrumentadores do Centro Cirúrgico para ver como eu estava, e quando as enfermeiras saíam de folga ligavam de casa para saber como eu tinha passado a noite.

Por algum motivo, todos tinham um amor muito grande por mim.

Eu não podia fazer nada por eles, eu não os tinha conquistado, esse amor vinha de Deus.

E todos os dias um rapaz desconhecido se aproximava do meu leito e perguntava: – Posso orar pela senhora?

Ele usava uma roupa que parecida de equipe de manutenção.

Ele fechava os olhos e começava a falar com Deus pedindo pela minha cura. Então ele terminava a oração e se despedia sorrindo. E no mesmo horário no dia seguinte ele aparecia novamente.

Existia um mover inexplicável ao meu redor e isso atingiu pessoas que eu jamais vou saber, mas revela um poder invisível regido pelo amor.

Havia uma enfermeira à noite que eu gostava muito porque ela conversava sempre comigo, e normalmente estava atenta e vinha na madrugada quando eu acenava com o braço querendo companhia ou mesmo que enxugasse o meu suor.

E eu me lembro de que uma vez ela fez uma placa com papel sulfite escrito: Acorda Bianca! E colou de frente para minha cama. Como eu passava a noite acordada, de dia costumava não aguentar os olhos abertos, ainda com tantos medicamentos. E elas não queriam que eu dormisse de dia então brincavam comigo e tentavam descontrair com esta plaquinha.

Jamais imaginariam que hoje eu estaria aqui para me lembrar de tudo isso.

“As intermináveis horas no CTI passavam e a Bianca se superava a cada dia. Eu ficava muito feliz com uma pequena melhora que fosse, pulava de alegria do lado da sua cama e ela puxava um canto da boca sorrindo (devia pensar, essa enfermeira deve ser a mais louca daqui)... E com isso, aqueles dias incertos perdiam espaço e ganhavam força os dias de superação”.

Grasiela Mesquita, Enfermeira CTI

Havia muitas fotos nas paredes do Box, fotos minhas cantando, fotos do José Vittorio. Eu confesso que olhava pouco porque aquela realidade das fotos não existia para mim. Aquele box era meu universo. Não existia antes nem depois. Aquela realidade era tudo que eu tinha e podia suportar.

Então um dia o clínico geral se aproximou do leito e perguntou: – Bianca, você gostaria que a gente trouxesse seu filho para você conhecer?

Fiquei olhando fixamente pra ele e não respondi.

Por alguns minutos eu imaginei o tamanho da dor que eu sentiria vendo-o de longe e depois vendo ir embora.

Assim que consegui acenei com o dedo dizendo que não. Eu não queria vê-lo.

As visitas

Todos que iam me visitar se impressionavam ao me ver daquela forma e muitos não continham as lágrimas.

Minha aparência e meu diagnóstico eram um verdadeiro desafio de fé.

Minha família me preservou o máximo que pôde. Pois o meu quadro ainda era gravíssimo e sabiam que eu não gostaria de ser vista por todos.

Alguns amigos estiveram comigo, me marcaram com sua presença e seus relatos falam muito daqueles dias.

"Depois de sair do coma induzido, sabíamos que ela estava consciente, mas não sabíamos o quanto, e isso era o pior pra mim, olhar para a Bi e ver que ela queria se comunicar e não tinha como, não podia falar, não podia escrever, não podia se mover. Um dia chegamos para a visita, ela estava acordada e querendo se comunicar, ela balbuciava alguma coisa, e as pessoas entendiam o que parecia, ela pedia um ppppaaaapppp, e a galera em volta sussurrava: papai? É isso??? Eu em meu desespero pra entender fiquei do lado e comecei a repetir as sílabas e pedir pra ela me interromper quando acertasse, e foi assim que deciframos o "papel", ela queria escrever, mas não tinha forças para levantar a mão nem para segurar o lápis.

1º tentativa de escrita.

A essa altura, o Box em que ela ficava estava cheio de fotos do José Vittorio, mas a sensação que eu tinha é que ela não queria criar uma ligação com ele, ela não queria olhar as fotos, acredito que ela se entristecesse com o fato de ainda não tê-lo visto, deve ser a parte difícil de estar consciente, o pensamento, pensar em um corpo enclausurado deve ser horrível.

Pessoas iam ao hospital, muitas por amor, outras por curiosidade, a essa altura já existia uma multidão querendo notícias.

O hospital todo já sabia quem era a Bianca, e obviamente quem éramos nós; passávamos por alguém e ouvíamos como está a Bianca hoje?, ou palavras de conforto. O tempo passava, e a resposta para nossas perguntas sempre eram as mesmas, "não podemos fazer nada, temos que esperar para ver se ela reage". Isso era o que mais ouvíamos, ela precisava reagir, não sabíamos mais o que fazer, até televisão o Box dela tinha, as pessoas nos ajudavam a tentar minimizar o sofrimento, mas nada de melhora. Era muito agoniante, estou falando de dezembro, já tinha se passado dois meses e não tínhamos saído do lugar, olhávamos e parecia que tudo estava se esvaindo, e em meados de dezembro ela teve duas paradas cardíacas – uma de seis minutos e outra de quase dois minutos, eu estava em São Paulo quando as paradas aconteceram e assim que soube já estava lá outra vez, nosso medo era mais uma vez que houvesse sequelas, assim que chegamos ao hospital a única coisa que queria saber era se tinha deixado alguma sequela, nós não sabíamos mais o que fazer. O milagre vinha acontecendo todos os dias, pois ela estava viva há três meses quando na verdade haviam dado 48 horas".

Patrícia Toledo, Madrasta, viúva de Afonso Toledo

"A primeira vez que eu a vi acordada eu queria criar um código para tentar me comunicar e então eu pedi para ela piscar uma vez se fosse o sim e 2 vezes se fosse não.

E quando eu percebi que havia conseguido comecei a perguntar muitas coisas para saber o que ela estava pensando. Ela começou a chorar muito e eu fiquei arrasada de tê-la feito ficar assim. Minha agonia era que ela chorava muito. E tudo que nós falávamos e ela não podia responder parecia que a gente tinha trazido desconforto para ela.

Toda vez que eu ia vê-la eu falava para ela: Não desiste, clama o sangue de Jesus, Jesus vai te curar. E ela não respondia nada. Apenas ficava me olhando com aqueles olhos azuis e às vezes ela chorava muito e ficava agitada e a gente tinha que se afastar para que ela ouvisse música para entrar em outro mundo e se acalmar. E uma vez eu tive a impressão que ela queria falar alguma coisa, e nós pegamos o quadro de letras para ela apontar, mas isso a deixou muito irritada e eu saí querendo a qualquer custo saber o que ela tinha para me falar".

Fernanda Brum

"O horário de visita era tão curto. Eu sentia muita saudades. Saudades da voz dela, do sorriso. Então eu ficava do lado de fora do hospital horas e horas olhando para a janela do seu quarto".

Regina Flora, Mãe

"Era dezembro de 2010, perto do Natal, quando a Esther, minha irmã, e eu fomos visitar a Bianca Toledo no hospital. Já sabia que seu estado de saúde era gravíssimo, pois estava acompanhando toda a história pelo telefone através da sua mãe, a Regina. Moro em São Paulo e já fazia algum tempo que não via a Bianca pessoalmente. A imagem que carregava dela era a daquela loira sorridente de lindos olhos azuis. Ninguém poderia ter me preparado para aquele nosso encontro na UTI. Minha irmã que já a havia visitado antes tinha me avisado que ela estava totalmente irreconhecível. Mas...

Com o coração apertado e em nome de Jesus entrei naquela UTI. Por uns instantes passei meus olhos por todos os leitos com seus pacientes e não vi a Bianca. A Esther percebendo minha aflição disse: Você não a está reconhecendo! Então, apontando com o dedo me indicou o seu leito. Fiquei muda. Precisei acostumar meus olhos ao que estava vendo. Não podia ser!

A Bianca estava em seu Box, no leito, rodeada de aparelhos e tubos. Sua pele, de alva que era, estava escura quase marrom. Seus cabelos haviam caído. Seu rosto se parecia ao de uma senhora idosa bem velhinha. Ela estava toda inchada, o triplo do seu tamanho normal e usava uma fralda descartável. Aproximando-me devagar a chamei suavemente pelo seu nome. Ao abrir seus olhos nos encontramos em silêncio. Choramos de mãos dadas por alguns minutos. Não podia falar nada, pois estava muito emocionada.

A realidade era muito dura. Bianca estava extremamente debilitada. Respirava com dificuldade. Nem mesmo conseguia movimentar os lábios e as mãos. Seu abdômen estava com um curativo, pois estava aberto. Sua vida estava sendo mantida em suas funções vitais por aparelhos. Pela ciência médica parecia ser o fim. A morte estava muito próxima. Tudo era chocante demais.

Dentro daquela realidade, para certificar-me que entenderia minhas palavras, pedi para que piscasse seus olhos afirmativamente caso soubesse quem eu era. Graças a Deus ela estava bem consciente. Então, comecei a lhe entregar a mensagem que o Espírito Santo havia colocado em meu coração. Disse-lhe, em resumo: Bianca, você vai viver. Deus vai te tirar daqui, desta UTI, em menos de um mês e no Natal do ano que vem você estará correndo feliz atrás do Vittorio. Até hoje fico pensando em como pude ter a louca coragem de falar aquilo. Mas Deus é Vivo! A fé não tem explicação científica. Reverbera no universo!

Nossa visita deve ter durado um pouco mais de meia hora, pois ainda oramos e li textos da bíblia declarando as promessas de Deus que jamais voltam vazias. Havia muita presença de Deus naquele ambiente, embora fosse triste e pesado, devido às circunstâncias. Até cantei para ela uma música arrancando-lhe um sorriso, pois ela sabia quão desafinada e cheia de autoestima eu era e sou. Só posso concluir este depoimento com o texto bíblico do Livro de Isaías 53 que faz referência ao sacrifício de Jesus Cristo na cruz.

Gisela Sanchez

Eu não tinha passado nem futuro, e não me lembrava dos amigos que eu tinha até que eles aparecessem ali. Não fazia muito menos ideia de que a maioria deles sabia que eu estava ali e lutavam em oração e doação de sangue por mim.

Quando a Bispa Gisela chegou com sua irmã Esther que eu não conhecia, imediatamente percebi seu choque em me ver. Eu não podia imaginar a imagem que eu possuía, nem de longe. Mas eu vi que enquanto ela falava comigo uma lágrima escorria do seu rosto. Fiquei comovida ao vê-la chorar e naquele momento eu chorei junto com ela.

“Por vezes, percebíamos certa melhora, pois quando falávamos, ela se concentrava em nossas palavras e por vezes gotas de lágrimas corriam pelo canto de seus olhos. No entanto, ela ainda não falava nada e poucos movimentos conseguia fazer. Sua cura ainda era uma incógnita”.

Pr. Josué Valandro Jr.

O Natal

Com o passar das semanas, começaram a tentar me situar no tempo e no espaço e me diziam o dia da semana e do mês em que estávamos.

E eu percebi que se aproximava o Natal.

Eu já estava acordada há quase um mês, exatamente na mesma posição.

Então eu imaginava como seria o Natal de todos ali e confesso que pensei se alguém me levaria algum presente.

Então, no dia 24 de Dezembro eu vi uma pessoa chegar em um horário diferente do horário de visitas e lá da pia onde lavavam as mãos eu podia ver e me parecia o meu pastor Josué. Que já havia orado tantas e tantas vezes por mim ali em coma, mas era a primeira vez que eu o via. E eu logo acenei com o único antebraço que eu conseguia e as enfermeiras começaram a sorrir e dizer: – Bianca, seu pastor chegou e veio lhe ver.

Ele chegou emocionado em ver que eu o havia reconhecido e me senti honrada em recebê-lo na véspera do Natal. Ele conversou comigo, pegou na minha mão com muito carinho. Abriu a bíblia e leu uma passagem natalina. Ministrou ao meu coração e eu fiquei refletindo sobre o que ele havia dito depois que foi embora.

“Meu dia mais emocionante com ela foi no Natal. Decidi ir ao hospital para lhe desejar um Feliz Natal. Comecei a lavar minhas mãos na entrada da UTI, bem na direção do leito de Bianca. De repente comecei a ouvir sons de emoção indecifráveis. Quando olhei para Bianca, a vi sorrindo emocionada, e de certa forma se movendo para frente na cama por ter me visto ainda que a certa distância.

Fiquei desconcertado pois não sabia se aquela grande emoção poderia prejudicá-la e comecei a brincar com ela para descontraí-la. Mas percebi que na verdade quem estava mais emocionado e nervoso era eu por ver que Bianca estava extremamente viva e com percepção aguçada de tudo ao seu entorno. Fui até sua cama, peguei em sua mão e comecei a conversar, ministrar a Palavra e orar com ela sob profunda emoção que não me permitiram conter as lágrimas ao sair dali. Afinal, eu estava vendo que a oração da fé havia funcionado! Ela estava mais que viva a cada dia. Deus, definitivamente, havia feito um milagre em meio à intercessão de um povo.

Pr. Josué Valandro Jr.

Minha família então chegou e eu percebi que quiseram disfarçar a data para que não ficasse mais triste ainda o fato de estar ali em uma data festiva, longe do meu filho e de todos. Logo eles foram embora e eu fiquei sozinha novamente. Mas Deus tinha reservado mais um momento especial para mim aquela noite...

"Se não for por alguns enfeites na porta de entrada, pouca coisa te faz lembrar, numa unidade de terapia intensiva, que é Natal. Os alarmes não param de tocar, você não usa roupa de festa nem sapato bonito e a gravidade dos pacientes não deixa você lembrar como cheiro de rabanada é gostoso... E vem a saudade da família que é assoladora. Que vontade de ouvir crianças sorrindo, de abraçar nossos pais, celebrar essa data que é tão especial, de confraternizar com os irmãos nossa íntima ligação com Deus naquele dia. E naquele Natal tinha alguém com tanta vontade de estar com a família quanto eu, só com uma diferença, eu tinha saúde.

Fiquei do lado da Bianca, lhe dei a mão e disse: Hoje, na noite de Natal, você é minha família. Entrego a Deus nesse momento minha prece. Não peço nada para mim, se eu merecer um presente, que seja sua vida, sua saúde de volta.

E fizemos uma oração: Pai nosso que estais no céu, santificado seja o vosso nome... Eu com as palavras e a Bianca com o olhar. E choramos".

Grasiela Mesquita, Enfermeira do CTI

"Conheci a Bianca pelo Twitter. Era final de ano, todos comemorando o final do ano, mas eu não. Tenho síndrome de pânico há muitos anos e nesse dia eu não aguentava, queria morrer. Na verdade eu queria me matar.

Foi quando a vi falando que pela primeira vez estava passeando pelo hospital.

Interessei-me em conhecer sua história por que ela estava fazendo hemodiálise, e tenho casos na família de insuficiência renal. Quando vi sua foto, uma moça bela lutando pela vida, e eu que não tinha uma doença terminal queria morrer.

Foi quando resolvi saber mais sobre ela, nesse dia busquei forças, porque a vi, meus filhos e marido dormindo, eu iria deixar um e-mail de despedida e iria me matar!

Deus na sua infinita misericórdia usou a Bianca para mostrar que naquele momento por pior que fosse a crise de morte eminente que sentia, não era maior que seu estado de saúde real, e ela lutava pela vida, queria viver, e eu queria deixar de lutar pela minha, por medo e por não conseguir enfrentar o medo.

Depois disso orei muito por ela, aliás, por nós".

Marcela Ferreira

Ano Novo

Eu já não suportava mais estar há tantos meses na mesma posição, no mesmo leito, entre as mesmas paredes, ouvindo os mesmos ruídos.

E sempre que me entregavam a plaquinha com as letras ou o papel eu formava a frase:

Quero ir para o quarto! Quero ir embora!

Imagine, eu não tinha ideia que meu rim estava completamente paralisado, eu ainda estava lutando contra a infecção

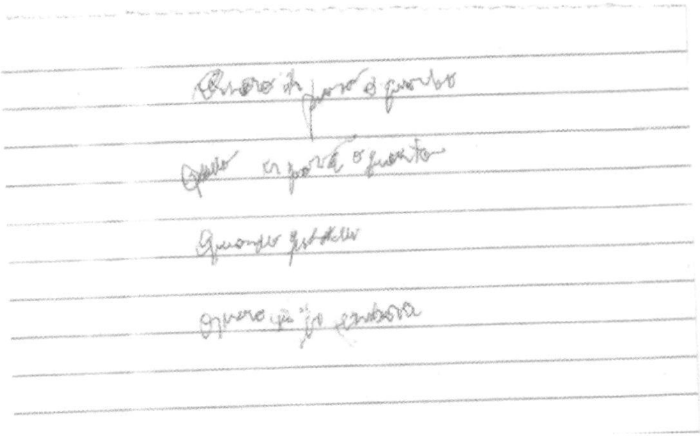

e dependia de um respirador.

Eu não sabia o tamanho da ferida abdominal que eu tinha, nem imaginava como poderia sair dali se nem me mover eu podia.

Os médicos disseram que já haviam feito de tudo. E que era preciso esperar.

Então minha família decidiu que eu deveria ser transferida.

E no dia 30 de dezembro, no horário da visita me disseram: Amanhã neste mesmo horário você estará em outro hospital, rodeado por uma floresta com muito verde, e até uns macaquinhos você vai ver da janela.

Parecia que eles estavam falando algo de outro planeta, porque no CTI onde eu estava, apesar de ser o hospital mais moderno da cidade, não havia janelas e eu não via o céu há muito tempo.

Então no dia seguinte, na véspera de Ano Novo, chegou toda equipe da ambulância e – me lembro como se fosse hoje – a minha expectativa de sair do hospital, ainda que fosse para ir para outro.

Transferir uma paciente como eu certamente não era uma tarefa fácil. Eu estava pesada, imóvel e cheia de tubos e fios.

E eu me lembro que testaram vários tipos de respirador, mas nenhum funcionou. E tiveram que me levar sem respiração artificial.

Ou seja, aquela sensação de sufocamento foi o que me acompanhou na ambulância por mais de 20 km.

Por pior que eu estivesse, eu confesso, minha sensação

era de aventura.

Chegando no novo hospital entrei direto pela emergência e subi para o CTI.

Chegando lá a princípio não vi nada de verde, nem de macaquinhos.

Fui colocada em um Box como o do hospital anterior, de frente para um corredor onde eu não via ninguém passar, e imediatamente eu senti que havia falta de algo que eu não poderia ficar sem: o relógio!

Como eu poderia ficar sem os ponteiros para me situar da realidade?

Então assim que meus familiares subiram eu comecei a balançar o braço agitada pedindo a Deus que entendessem que eu queria dizer algo.

Eles começaram a sequência de tentativas de adivinhação. Eu sempre torcia para que não desistissem de tentar me entender. Até que tiveram a ideia de pegar a plaquinha de letras e eu apontei: RELÓGIO.

Eles não sabiam que o relógio era minha companhia no outro CTI e se surpreenderam com meu pedido. Eram 22 horas e saíram pela cidade atrás de um relógio grande que eu pudesse enxergar e depois de algumas horas chegaram com meu presente de Natal atrasado. E foi um alívio para mim. Agora ele era digital e também mostrava o dia da semana e do mês. Era muita informação.

O ano começou e eu fui logo transferida para um Box que tinha uma janela.

Não dava para acreditar. A janela tinha a vista de dois morros conhecidos do Rio de Janeiro: os dois irmãos.

Eu via o sol nascer, a floresta ao redor da clínica e podia até ouvir os pássaros cantar perto da janela.

Apesar de estar ainda em estado gravíssimo, algo estava sinalizando que um novo tempo havia chegado.

Tiraram os medicamentos para troca dos catéteres e logo o organismo começou a reagir. Era uma equipe nova, enfermeiras novas, e novos médicos também. Eu era novidade no hospital e tudo era diferente.

Sentia falta das enfermeiras que me tratavam com tanta intimidade e carinho, mas com o tempo comecei a fazer amigos por ali.

Na semana seguinte um médico chegou ao quarto e disse:

– Bianca, vamos sentar?

Não conseguia imaginar o que seria isso, mas em pensamento eu dizia:

– Sim! Sim!

Logo chegou o horário da visita e uma amiga e irmã da igreja chamada Scheilla veio me visitar e cortar as minhas unhas. Então os enfermeiros chegaram e pegaram o lençol pelos lados para me erguer e me colocar na cadeira.

Meu corpo inteiro ficou anestesiado. Depois de mais de três meses deitada, não sabia mais sentar.

O meu olhar era perdido, eu ainda estava no respirador e não tinha equilíbrio nem força.

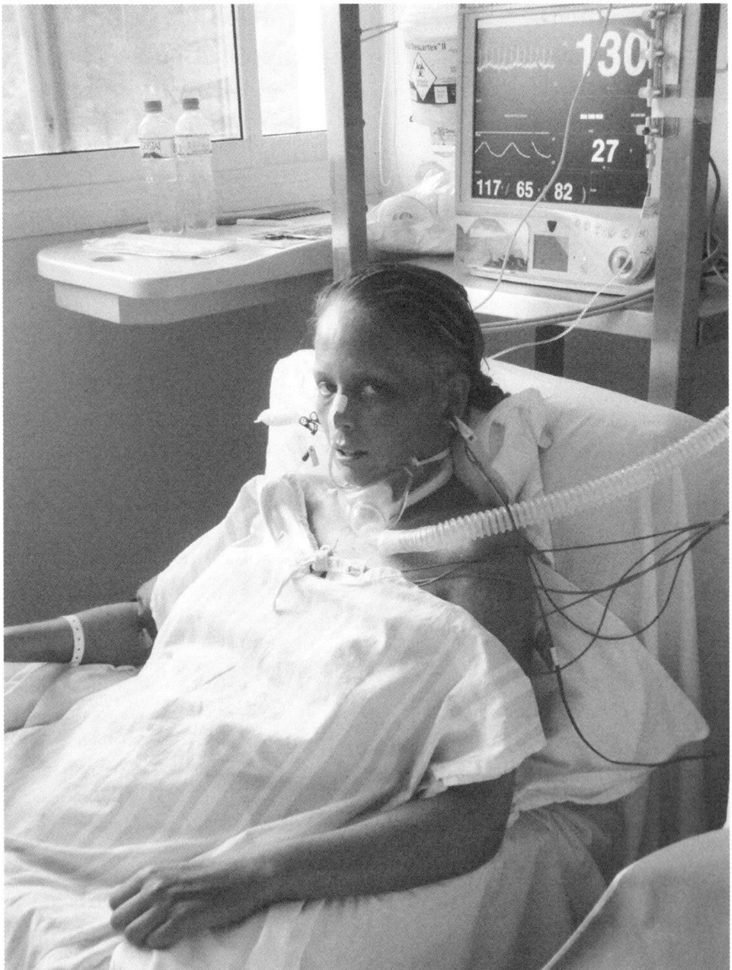

Nos dias seguintes a fisioterapia era intensa e meus braços e pernas se moviam um pouco mais.

Então a notícia de que eu sonhava que estava tomando sucos correu pelo hospital e chegaram com uma surpresa.

Me disseram que a fono me daria 5 ml de suco de melancia. Não dava para acreditar! Eu iria engolir alguma coisa! E ainda um suco!

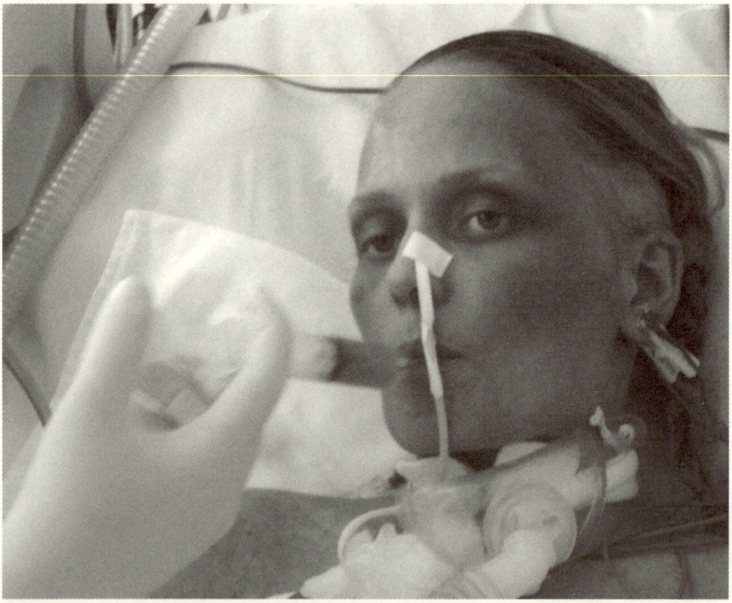

Eu tinha muito medo de engasgar. Mas eu estava me sentindo viva novamente.

A infecção começou a ser vencida e muitas técnicas de drenagem e cicatrização eram aplicadas no meu abdômen.

Tentaram trocar a cânula da minha traqueostomia para que eu pudesse falar, mas eu tinha um granuloma e não conseguiram.

Eu ainda continuava em silêncio. Já estávamos no final de janeiro e eu estava me livrando do respirador. Depois da prova da ambulância acredito que meu pulmão percebeu que podia reagir. E a obra de Deus foi se completando.

Um dia o enfermeiro chegou e disse: "Bianca vamos dar um passeio hoje? Vamos à varanda do hospital? O dia está lindo e você vai ver os pássaros".

Retirar-me do leito não era fácil e pela primeira vez eu estava me sentando em uma cadeira de rodas especial com apoio para cabeça. Eu saí do CTI sentada dessa vez e pela primeira vez podia ver as pessoas de frente.

Quando cheguei na varanda vi as árvores, os pássaros, conversaram um pouco comigo tentando descontrair. Eu estava tensa com a novidade e logo demostrei que queria voltar para o quarto.

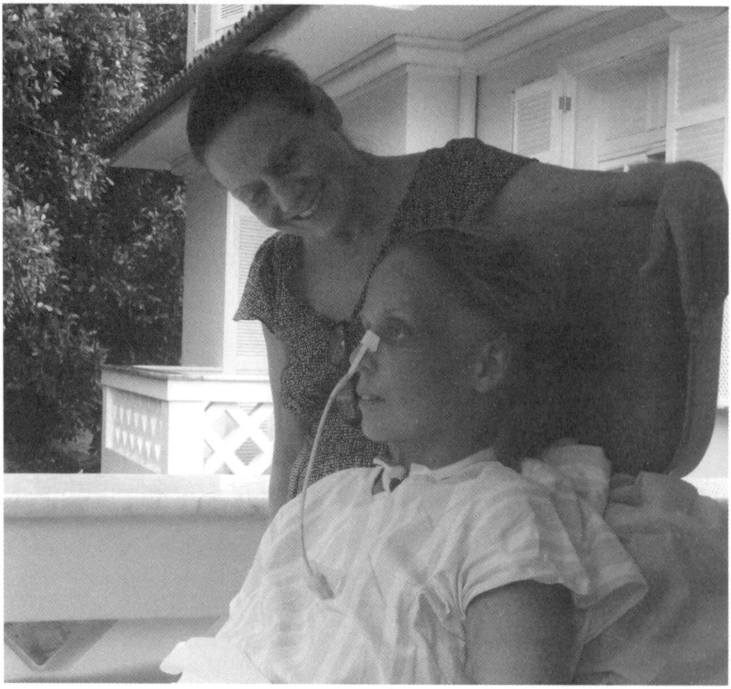

A fé

A fé racional é pensamento positivo.

O ser humano, pelo simples exercício da razão, é incapaz de ter fé. A fé é um dom de Deus, baseado na certeza gerada pelo espírito, na convicção de fatos que não se podem ver. Sejam elas do passado ou do futuro.

A fé é uma atitude espiritual regida por verdades eternas, não por circunstâncias.

"É necessário que aquele que se aproxima de Deus creia que ele existe, e que recompensa àqueles que o buscam". Hebreus 11:6

A fé da minha família e pastores me impressionou muito.

Eles foram tomados por uma convicção gerada por Deus de que ainda que não houvesse resposta ou possibilidade visível a cura iria me alcançar.

"Retenhamos inabalável a confissão da nossa esperança, porque fiel é aquele que fez a promessa". Hebreus 10:23

Sobreviver a tudo que eu havia passado já era inexplicável, agora precisávamos continuar crendo e lutando.

Eu ainda fazia 6 horas de hemodiálise todos os dias e logo fui transferida para o CTI semi-intensivo.

A quantidade de fotos coladas na parede aumentava de volume e sempre chegavam novas fotos do Vittorio e vídeos dele indo ao médico, tomando banho, e dormindo.

Irmãos da igreja vinham com violão cantar e orar por mim, e a presença da família passou a ser mais constante.

Tiraram o respirador, mas eu ainda estava traqueostomizada. A secreção que saía da traqueia era muito frequente e a sensação era terrível. Fazia um ruído muito alto a minha respiração e parecia que eu ia engasgar.

Neste novo CTI eu tinha uma campainha e isso era um prêmio depois de tantos meses dependendo que alguém visse meu pequeno movimento de braço. Agora eu podia chamar as fisioterapeutas para sugar a tráqueo o tempo todo. Elas me repreendiam, com medo de me machucar o tempo todo realizando o procedimento, mas eu não podia suportar.

Então logo os sucos aumentaram de volume para 10 e 20 ml, e chegaram as papinhas de fruta.

O horário da fono passou a ser o melhor momento do dia.

Lembro-me que uma delas cantava enquanto me alimentava e ela perguntava se isso me incomodava.

Era muito interessante observar as pessoas e as mudanças, ainda sempre em silêncio.

Nessa fase eu já balançava o pescoço e podia fazer sim

e não. Então comecei a receber visitas no novo hospital.

“Tive a oportunidade de voltar ao Rio, e visitá-la em outro hospital, mas novamente, não era ainda a Bianca que eu conhecia. Sua cor estava voltando ao normal, os medicamentos ainda a alteravam muito, tanto fisicamente como mentalmente. Bianca não estava comendo nada sólido, extremamente debilitada, mas durante todo esse tempo, a Seara em Orlando continuava intercedendo até o milagre completo chegar”.

Pr. Fernando Pinto, Seara/Florida

Até que um dia me disseram que iriam colocar uma peça na minha cânula da traqueo e eu poderia tampar com o dedo e emitir algum som.

Eu jamais imaginaria que som poderia sair.

Então coloquei o dedo e disse: - ahhhhhh

Era uma voz robótica, muito muito estranha. Eu não conseguia articular palavra nenhuma. Então minha mãe chegou para o horário da visita e eu quis surpreendê-la.

Ela não sabia que eu estava diferente então eu coloquei o dedo na tráqueo e disse:

– Oi, mãe!

Ela começou a chorar. Imagino que aquela não era a minha voz, mas não importava. Estávamos todos há muito tempo em silêncio.

Nesta época eu tinha um pouco mais de ideia do que

havia acontecido comigo, mas de forma superficial. Ouvir tudo aquilo me fazia mal, era tudo muito impressionante.

Um dia me disseram que iam me trazer um espelho.

Eu realmente não tinha parado para pensar na minha aparência.

Quando me vi foi um grande choque.

Eu estava sem cabelo, desnutrida, e com a pele ainda escura, diferente.

Tinha uma sonda saindo de dentro do meu nariz e uma cânula na minha traqueia e muitos outros fios e acessos de hemodiálise no pescoço.

Era nítido que algo muito terrível havia acontecido comigo. Era outra pessoa.

"Decidimos, em oração, visitá-la para termos alguns instantes com ela e para o que Deus nos orientasse.

No dia 25 de janeiro, aniversário de São Paulo, fomos ao Rio de Janeiro, de madrugada, chegando no meio da manhã na Clínica.

Grande era a expectativa em vermos a responsável de tantos clamores, lágrimas e de também nos aproximarmos mais de Deus!

Coloquei meu nariz de palhaço (vermelho) e fomos entrando na CTI-2, eu e Alberto. Quando mostraram a Bianca no leito, achei que era outra pessoa, já haviam nos avisado de que ela estava com a pele escurecida (e que até poderia não voltar a ser branquinha novamente).

Na confirmação de que era mesmo a Bianca, tivemos que segurar o choque. Mas nosso amor era muito maior do que a aparência dela. Estava extremamente magra, com muitos fios de cabelo já caídos, cor amarronzada, sem expressão no rosto, olhar distante e perdido, meio atordoada, fora do tempo e do espaço, sem noção do que tinha acontecido com ela realmente... Sua voz estava fraca, infantilizada, mas entendia que estávamos lá para vê-la. Segurei forte nas mãos de Jesus para suportar o que os meus olhos viam. Sua aparência era literalmente de ressurreta, como Lázaro. Ela tinha acabado de sair da morte! Humanamente Bianca estava horrível, mas também linda. Que contraste!!! Mas foi isso mesmo... morte e ressurreição... prova física disso!!! ...um controle absurdo para não chorar...

Levamos presentes e fizemos carinhos, mas ela precisava de procedimentos médicos e tivemos que sair logo do quarto.

Voltamos mais tarde e vimos com calma o quarto bonito, com a parede cheia de fotos dela, família e do seu bebê. Foi então que contamos que estivemos no CTI quando estava em coma, que oramos, ungimos seus pés e novamente, agora com ela acordada fizemos uma oração de perdão e cura ao seu coração. Saímos do hospital, impactados, e fomos ver o bebê em sua casa. Oramos por ele, com a certeza de que Deus estava cuidando da sua vida... na força do Senhor! Como amamos esse bebê e o quanto ele também estava blindado com amor e orações de muitos!"

Sueli Yanez

Uma noite eu estava orando antes de dormir e pedindo a Deus que completasse a obra que havia começado em mim e fui cheia do Espírito Santo, e mesmo sem voz comecei a profetizar. E naquele momento Ele me disse que iria me restaurar por completo para que eu dissesse ao mundo inteiro o que Ele fez por mim. Passei a madrugada inteira glorificando e o mover de Deus tomou o quarto onde eu estava.

Logo começaram as tentativas de me colocar em pé.

Era inimaginável voltar a andar. E não dá para descrever o mal estar de ficar na posição vertical.

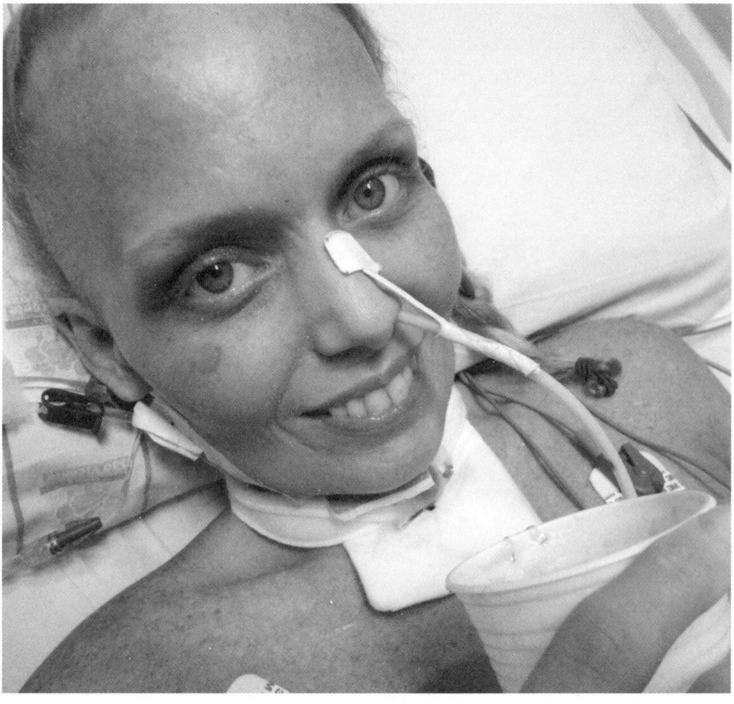

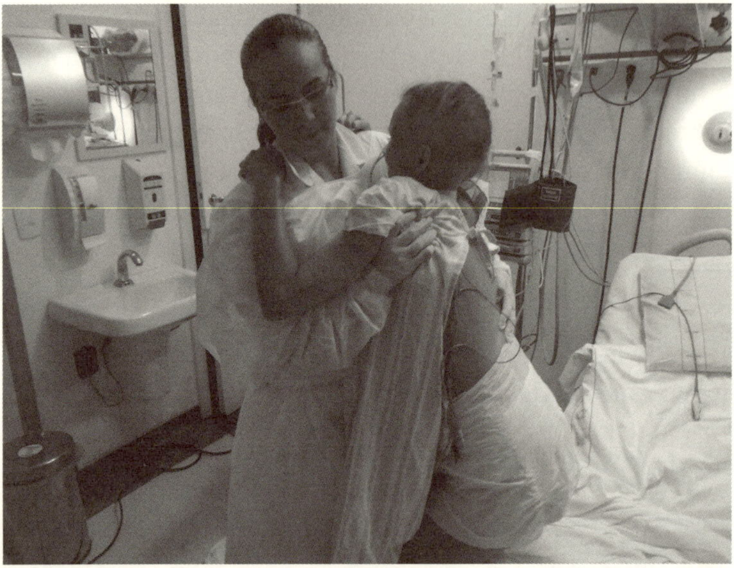

Primeira tentativa de ficar em pé.

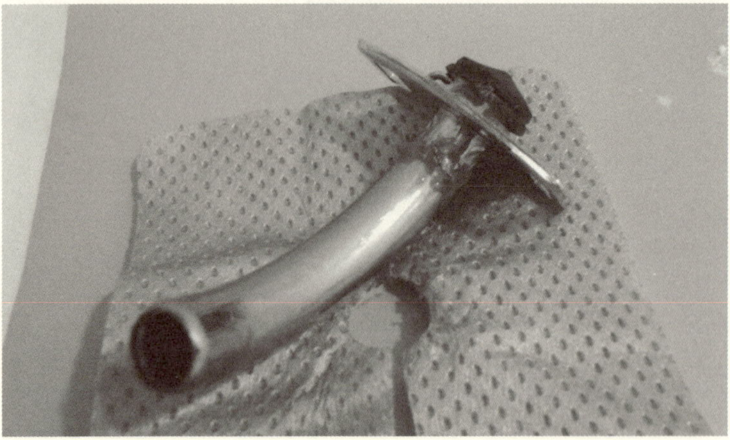

Chegou o dia de tirar a cânula da tráqueo e em seguida a sonda nasogástrica.

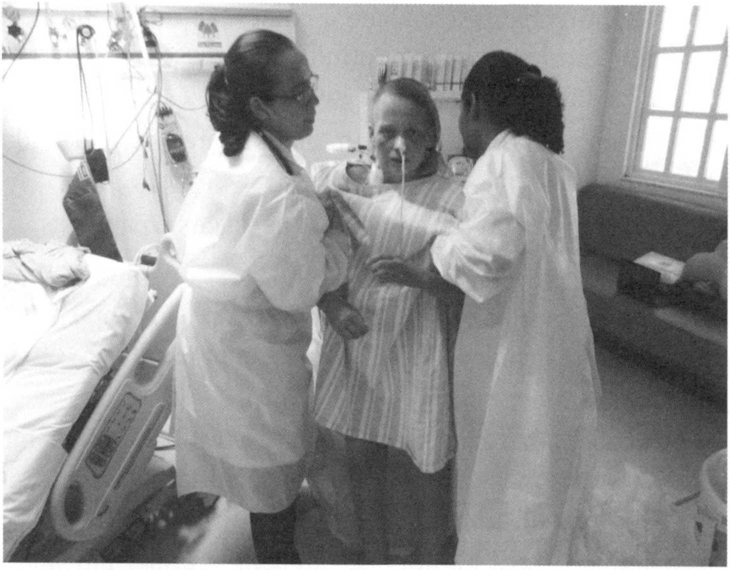

Seguravam-me em duas pessoas e mesmo assim eu suportava apenas alguns segundos.

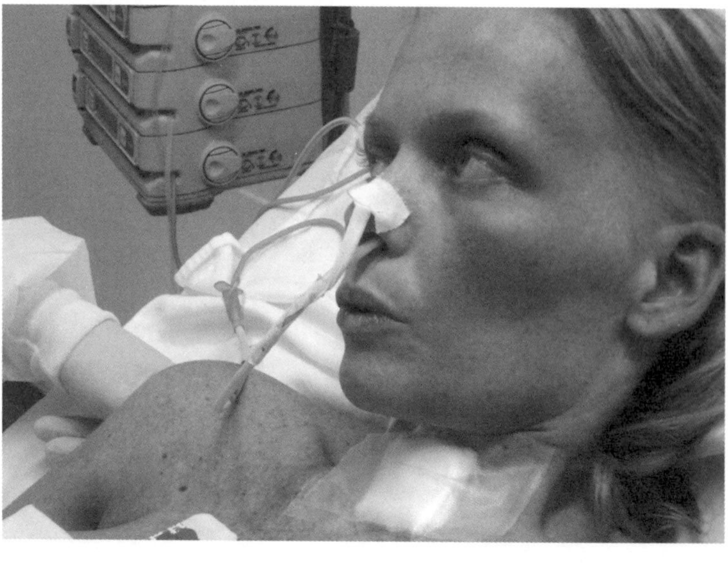

O médico havia agendado a colocação do catéter permanente para hemodiálise definitiva. E disse que um rim parado há 4 meses não volta a funcionar.

Pacientes assim fazem hemodiálise para o resto da vida ou um transplante de rim.

Nessa época eu bebia muita água, sucos e papinhas.

Então certo dia, na troca de fraldas, a equipe se surpreendeu com urina na minha fralda. O que era impossível mais uma vez aconteceu: meu rim espontaneamente voltou a funcionar.

Cancelaram o catéter permanente e resolveram esperar para ver se realmente a função iria normalizar.

E me alegrei ao ouvir o infectologista dizer que apesar de cético, precisava admitir que "alguém" o estava ajudando neste caso. Porque o progresso era incrível.

Fui liberada do CTI e finalmente fui para o quarto. Já estávamos em fevereiro e finalmente eu estava liberada dos

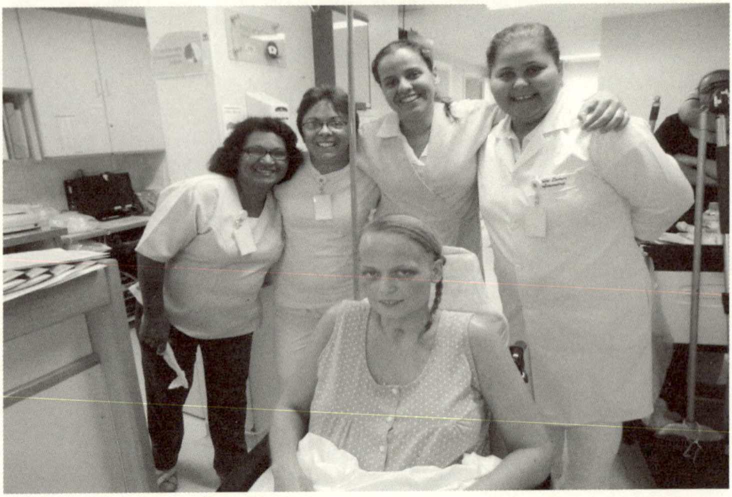

fios e dos apitos do CTI.

Ganhei filmes para assistir e agora era acompanhada pelo Renato que dormia no quarto comigo. Não estar mais sozinha era maravilhoso. Eu, ainda que sussurrando, conseguia me comunicar, e falar como estava me sentindo.

Então a Pra. Fernanda foi pela primeira vez me ver neste novo hospital e me ligou perguntando o que eu queria.

EU disse que queria tomar um suco de abacate.

"Quando a Bianca começou a falar eu não estava. Então o Renato me ligou e disse que alguém queria falar comigo. Quando ele passou o telefone pra ela eu ouvi uma voz muito baixa e rouca dizendo: "Oi".

Todos do meu escritório começamos a gritar: A Bianca falou!! E eu queria muito me comunicar com ela. Então eu perguntei: o que você quer comer? Ela me disse que queria um abacate. Eu rodei a cidade inteira para achar um abacate maduro.

E eu levei para ela, com muito medo dela não poder comer ainda uma fruta como essa. Mas Deus estava querendo satisfazer os desejos dela. Com os sucos, as músicas, os filmes. Quando cheguei lá, queria contar para ela todos os milagres que Deus já tinha feito. Era algo tremendo. Eu estava há meses querendo falar com ela e saber o que ela estava sentindo e pensando. Então eu comecei a contar todos os milagres de uma vez. E ela se sentiu mal e pediu que eu parasse de falar. Mas eu queria dar força para ela seguir. E dizer que de como ela esteve, ela estava muito bem".

Fernanda Brum

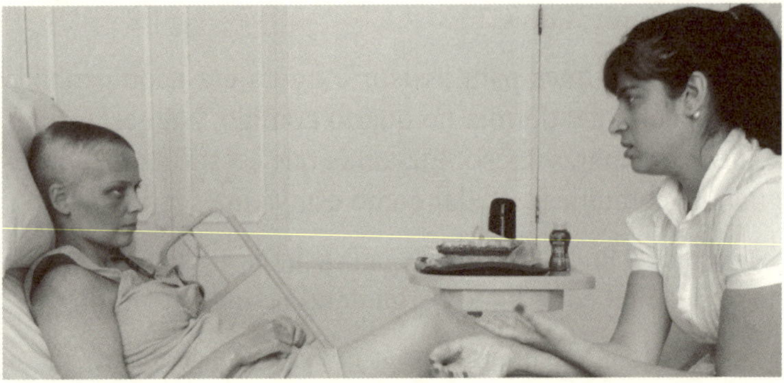

Nesse dia a Fernanda me disse que tinha certeza que eu voltaria a andar e a cantar.

E eu começava a ouvir testemunhos daquilo que Deus havia feito na vida de muitas pessoas que acompanhavam a minha história e oravam por mim.

Tive acesso à internet e li alguns e-mails de centenas de pessoas que falavam como se me conhecessem e demonstravam um amor sem igual por mim.

"Mesmo sem conhecê-la em todo esse tempo intercedendo, não houve uma hora do dia que eu passasse sem orar por ela, Deus me lembrava todo o tempo. Mal conseguia trabalhar. Chorei de alegria quando vi a sua primeira mensagem no Twitter.

Quando vi que a sua recuperação era latente, comecei a orar pelo seu retorno para casa, pela sua relação com o seu filho, e que esses quase cinco meses em que esteve ausente, não fossem uma falta para ele e nem para ela, e que Deus recuperasse cada dia que estiveram distantes fortalecendo o estabelecimento dos laços entre eles.

Então em fevereiro viajei ao Rio de Janeiro a trabalho e

Deus tinha me falado que eu iria conhecê-la, não sabia como, mas tinha essa convicção no meu coração. Ela havia mudado de hospital e não tinha nenhuma informação de onde estava, não havia como saber!!

Na quinta à noite, voltando de um jantar, já um tanto duvidosa de que isso se cumpriria, pois iria embora na sexta, vi uma publicação no Twitter com uma foto da Bianca lendo a Bíblia.

Aquilo aqueceu meu coração, e era como se Deus me dissesse: "Olha, eu lhe disse que seria assim". Certamente foi sem querer, mas o logotipo do hospital estava na fronha do seu travesseiro e saiu na foto. Aumentei a imagem no celular e vi o nome do hospital, perguntei para a guia e ela confirmou que aquele hospital ficava na Gávea.

Às 7 horas da manhã do dia seguinte liguei no hospital e tive a confirmação de que ela estava lá.

Eu teria reunião o dia todo, mas como já tinha falado que teria que visitar "uma amiga" durante o tempo que estava lá, o diretor da minha empresa me liberou da reunião para que pudesse ir.

Cheguei ao hospital às 8h30, no caminho fui orando para que Deus fizesse a vontade dEle, pois eu sabia que poderiam não autorizar a minha entrada. Fiquei em paz e fiz o que o senti que devia fazer. Não tive nenhum problema para entrar no hospital. Quando cheguei à porta do seu quarto, orei de novo para que Deus providenciasse tudo, pois não queira que ela ficasse desconfortável com a minha visita, e nem gostaria de invadir a sua privacidade, mas eu tinha que entrar...

Eu tremia, não sabia se de felicidade de estar ali ou se

de tanto que eu orava... abri a porta e as luzes estavam apagadas, perguntei para a enfermeira se ela estava dormindo e ela confirmou que sim.

Sentei-me no sofá que ficava no corredor de fora do seu quarto e fiquei lendo a Bíblia, orando, adorando a Deus apenas por ter chegado até ali. Sabia que estava cumprindo algo que Ele quis, obedecendo a Ele, pois eu naturalmente não teria feito nada disso.

Meu marido ao telefone não acreditava que eu estava lá, espantado pela minha ousadia, me encorajou e orou comigo.

A enfermeira entrou, eu aguardei um tempo, pois não queria incomodar, a ouvi falando com a Bianca e decidi ficar na antessala do quarto aguardando.

A enfermeira saiu do quarto e eu falei que se ela permitisse, gostaria de visitá-la.

Ela me fez a temida pergunta: "Ela está perguntando: quem é você?"

Ahhhh... como iria explicar isso de uma forma simples? Respirei fundo e falei que eu era uma entre milhares de pessoas que Deus tinha levantado para interceder por sua vida e que apenas gostaria de lhe dizer isso.

Glórias a Deus que ela era cristã e ficou feliz em saber disso e disse que a Bianca não sabia, mas Deus tinha colocado "anjos" para cuidar dela no hospital e ela era uma! Ela então permitiu a minha entrada.

A minha emoção ao vê-la foi tamanha! E ela pode perceber.

Pedi desculpas, mas não consegui me conter, caí em

lágrimas, pois vê-la ali, bem, em vias de ter alta era tudo o que eu tinha orado, era a concretização de um milagre que Deus tinha feito, e eu apenas tive o privilégio de ser usada por Ele para participar na intercessão por essa causa.

E estar ali era muito valioso para mim, era minha missão por temor e obediência a Deus!

Nem sei se consigo explicar tudo isso, mas a Bianca Toledo foi o instrumento que liberou todo o plano de Deus para a minha vida!

Tenho certeza de que não sou a única, e por isso digo que por muito tempo ela colherá testemunhos do quanto Deus a usou e ainda vai usar, em cada vez que as pessoas ouvirem ou lerem essa história extraordinária. Seu ministério será potencializado exponencialmente e não há limites geográficos para o alcance de tudo o que há de vir. Pela sua história, muitos vieram aos pés da cruz, muitos se aproximaram de Deus ou fortaleceram a sua fé e muitos outros ainda virão e reconhecerão que ela é um milagre de Deus!

E quanto a nós, eu e meu marido, estamos com o ministério que Deus nos deu, fazendo tudo como Deus quer, crescendo e sempre nos surpreendendo com o agir de Deus".

Patrícia Martins

A cura

"Verdadeiramente ele tomou sobre si as nossas enfermidades, e carregou com as nossas dores; e nós o reputávamos por aflito, ferido de Deus, e oprimido.

Mas ele foi ferido por causa das nossas transgressões, e esmagado por causa das nossas iniquidades; o castigo que nos traz a paz estava sobre ele, e pelas suas pisaduras fomos sarados". Isaías 53:4-5

Foi revelado que sua chegada mudaria nossas vidas para sempre. E de fato isso é verdade.

Existe uma história na Bíblia que fala a respeito de um homem cujo nome significa 'Deus ajudou' e qualquer semelhança com a minha história não é mera coincidência.

"Estava, porém, enfermo um certo Lázaro, de Betânia, aldeia de Maria e de sua irmã Marta.

E Maria era aquela que tinha ungido o Senhor com unguento, e lhe tinha enxugado os pés com os seus cabelos, cujo irmão Lázaro estava enfermo.

Mandaram-lhe, pois, suas irmãs dizer: Senhor, eis que está enfermo aquele que tu amas.

E Jesus, ouvindo isto, disse: Esta enfermidade não é para morte, mas para glória de Deus, para que o Filho de

Deus seja glorificado por ela.

Ora, Jesus amava a Marta, e a sua irmã, e a Lázaro.

Ouvindo, pois, que estava enfermo, ficou ainda dois dias no lugar onde estava.

Depois disto, disse aos seus discípulos: Vamos outra vez para a Judeia.

Disseram-lhe os discípulos: Rabi, ainda agora os judeus procuravam apedrejar-te, e tornas para lá?

Jesus respondeu: Não há doze horas no dia? Se alguém andar de dia, não tropeça, porque vê a luz deste mundo;

Mas, se andar de noite, tropeça, porque nele não há luz.

Assim falou; e depois disse-lhes: Lázaro, o nosso amigo, dorme, mas vou despertá-lo do sono.

Disseram, pois, os seus discípulos: Senhor, se dorme, estará salvo.

Mas Jesus dizia isto da sua morte; eles, porém, cuida-

vam que falava do repouso do sono.

Então Jesus disse-lhes claramente: Lázaro está morto;

E folgo, por amor de vós, de que eu lá não estivesse, para que acrediteis; mas vamos ter com ele.

Disse, pois, Tomé, chamado Dídimo, aos condiscípulos: Vamos nós também, para morrermos com ele.

Chegando, pois, Jesus, achou que já havia quatro dias que estava na sepultura.

(Ora Betânia distava de Jerusalém quase quinze estádios.)

E muitos dos judeus tinham ido consolar a Marta e a Maria, acerca de seu irmão.

Ouvindo, pois, Marta que Jesus vinha, saiu-lhe ao encontro; Maria, porém, ficou assentada em casa.

Disse, pois, Marta a Jesus: Senhor, se tu estivesses aqui, meu irmão não teria morrido.

Mas também agora sei que tudo quanto pedires a Deus, Deus to concederá.

Disse-lhe Jesus: Teu irmão há de ressuscitar.

Disse-lhe Marta: Eu sei que há de ressuscitar na ressurreição do último dia.

Disse-lhe Jesus: Eu sou a ressurreição e a vida; quem crê em mim, ainda que esteja morto, viverá;

E todo aquele que vive, e crê em mim, nunca morrerá. Crês tu isto?

Disse-lhe ela: Sim, Senhor, creio que tu és o Cristo, o Filho de Deus, que havia de vir ao mundo.

E, dito isto, partiu, e chamou em segredo a Maria, sua irmã, dizendo: O Mestre está cá, e chama-te.

Ela, ouvindo isto, levantou-se logo, e foi ter com ele.

(Ainda Jesus não tinha chegado à aldeia, mas estava no lugar onde Marta o encontrara.)

Vendo, pois, os judeus, que estavam com ela em casa e a consolavam, que Maria apressadamente se levantara e saíra, seguiram-na, dizendo: Vai ao sepulcro para chorar ali.

Tendo, pois, Maria chegado onde Jesus estava, e vendo-o, lançou-se aos seus pés, dizendo-lhe: Senhor, se tu estivesses aqui, meu irmão não teria morrido.

Jesus, pois quando a viu chorar, e também chorando os judeus que com ela vinham, moveu-se muito em espírito, e perturbou-se.

E disse: Onde o pusestes? Disseram-lhe: Senhor, vem, e vê.

Jesus chorou.

Disseram, pois, os judeus: Vede como o amava.

E alguns deles disseram: Não podia ele, que abriu os olhos ao cego, fazer também com que este não morresse?

Jesus, pois, movendo-se outra vez muito em si mesmo, veio ao sepulcro; e era uma caverna, e tinha uma pedra posta sobre ela.

Disse Jesus: Tirai a pedra. Marta, irmã do defunto, disse-lhe: Senhor, já cheira mal, porque é já de quatro dias.

Disse-lhe Jesus: Não te hei dito que, se creres, verás a glória de Deus?

Tiraram, pois, a pedra de onde o defunto jazia. E Jesus, levantando os olhos para cima, disse: Pai, graças te dou, por me haveres ouvido.

Eu bem sei que sempre me ouves, mas eu disse isto por causa da multidão que está em redor, para que creiam que tu me enviaste.

E, tendo dito isto, clamou com grande voz: Lázaro, sai para fora.

E o defunto saiu, tendo as mãos e os pés ligados com faixas, e o seu rosto envolto num lenço. Disse-lhes Jesus: Desligai-o, e deixai-o ir.

Muitos, pois, dentre os judeus que tinham vindo a Maria, e que tinham visto o que Jesus fizera, creram nele.

Mas alguns deles foram ter com os fariseus, e disseram-lhes o que Jesus tinha feito". João 11:1-46

Esse mesmo Jesus que ressuscitou Lázaro me fez voltar à vida. Debelou as bactérias, restaurou minha coagulação, restituiu o funcionamento dos meus órgãos, preservou meu cérebro enquanto meu coração estava parado e o fez voltar a bater. Ele conservou a minha alma e pela graça e misericórdia me socorreu. Depois de 130 dias recebi alta e fui pra casa.

"Eu sou o alfa e o ômega, o principio e o fim, diz o Senhor, aquele que é, *e que era e que há de vir, o todo poderoso".* Apocalipse 1:8

Quando Jesus demorou dois dias para sair de onde estava e disse se alegrar por não estar presente na hora da morte de seu amigo, certamente gerou perplexidade e frustração. Mas os pensamentos de Deus são mais altos que os nossos e através daquela demora esgotavam-se as possiblidades e os recursos humanos.

Através daquela tragédia a incredulidade seria envergonhada, o poder de Deus seria manifesto e o nome de Jesus seria exaltado.

Muitos tiveram acesso ao Pai através da fé em Jesus gerada por aquele milagre e o propósito se cumpriu.

Deus não demora, Ele capricha.

O encontro

Eu não sei como Lázaro estava após quatro dias morto, mas eu sei que eu, após quatro meses e meio, saí do hospital muito debilitada.

Conseguia dar 2 ou 3 passos e mais do que isso apenas com a cadeira de rodas. Não sentava nem me levantava sozinha. Todos os meus movimentos era muito difíceis, doloridos por causa do encurtamento muscular. Minha respiração era muito curta. Doíam minhas costelas toda vez que tentava encher o peito de ar. Minhas mãos doíam muito e estavam em forma de garras, não abriam nem fechavam.

Estava insegura e apreensiva. A sensação de estar fora do hospital era uma grande alegria, mas eu pensava que algo poderia acontecer e eu não tinha campainha, enfermeiras nem médicos para me socorrer.

Então no trajeto para casa, os minutos foram passando e olhando a paisagem me distraí daqueles pensamentos inseguros e logo estávamos entrando em meu condomínio.

A expectativa de encontrar meu filho pela primeira vez

certamente faziam meus olhos brilharem.

Estacionamos o carro e desceram para pegar a cadeira de rodas.

Então eu disse: Quero tentar ir andando até ele.

Eu morava no primeiro andar e estacionamos perto do elevador. Apoiada eu fui andando muito devagar e ao sair do elevador, do lado de fora do apartamento eu pude ouvir pela primeira vez a sua voz. Ele estava chorando.

Abriram a porta e todos estavam muito emocionados. Ele estava no carrinho de frente para a entrada com uma pequena flor vermelha na mão. Entrei com muita dificuldade e fiquei paralisada olhando para ele.

Era surreal saber que aquele era meu filho. Todos cho-

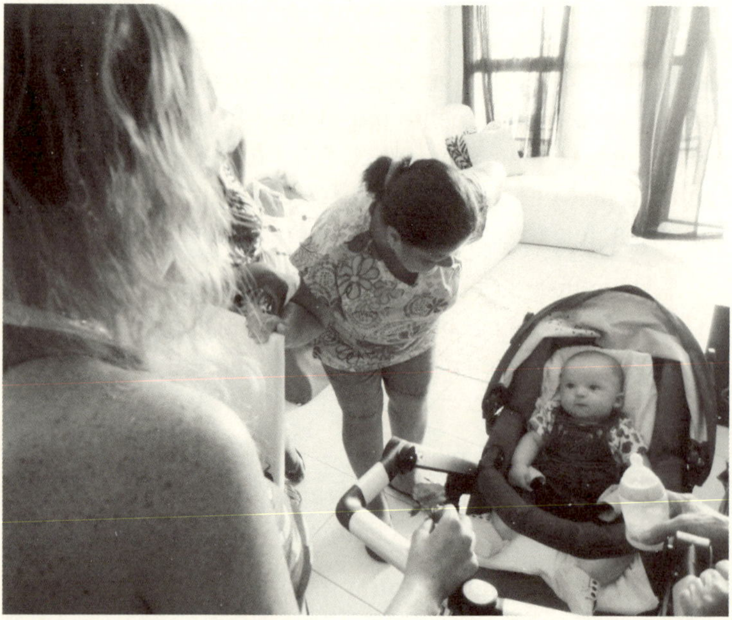

rava e sorriam ao mesmo tempo. Então ele sorriu pra mim.

O médico havia me deixado com restrição de contato. Eu não podia tocar em ninguém e vice e versa. Ou seja, eu não podia tocar o José Vittorio. Apenas olhá-lo.

"Quando me disseram que a Bianca estava em casa eu estava muito feliz. Ela estava se recuperando em tempo recorde e depois de tudo que tínhamos passado eu tinha fé pra qualquer coisa. Então eu mandei uma mensagem dizendo que iria vê-la. Quando cheguei na casa dela ela estava em uma cadeira vermelha que era a única que ela podia sentar por causa da restrição de contato, e havíamos levado a Santa Ceia para ela. Era tão grande o poder de Deus quando nós chegávamos perto dela para orar e ministrá-la, até nesse tempo que ela estava se recuperando. Nós não tínhamos medo de pegar a bactéria, não tínhamos medo de tocar nela. A presença de Deus era muito forte e havia um peso de Glória. E uma das vezes que eu cheguei lá ela estava falando baixinho com José Vittorio no quarto e acabava comigo vê-la do lado do berço sem poder tocá-lo. Eu não a deixava perceber, mas me doía muito vê-la olhando-o de longe. Eu queria que ela tivesse contato com ele a todo custo. E eu vi que ele sorria muito para ela, e se comunicava com os olhos, assim como ela faz. Então eu percebi que eles já tinham uma ligação muito maior do que se ele estivesse no colo. Era algo espiritual".

Fernanda Brum

Perdeu o chão?

Nas primeiras semanas em casa eu era totalmente dependente. Minha voz era um sussurro apenas. Usava uma bolsa de colostomia que cobria uma gastrostomia, uma ferida abdominal grande onde meu estômago ficava exposto, de onde saía suco gástrico. Os curativos precisavam ser feitos a todo instante. Eu não me deitava em uma cama há cinco meses, não tinha posição e nem alongamento para ficar completamente na horizontal.

Minha família e alguns amigos foram em minha casa me ver e eu queria muito receber um abraço, mas não podiam me tocar.

Tinha que ver meu filho de longe sendo alimentado por outras pessoas, ninado e acariciado e isso fazia doer o meu coração. Eu estava com uma aparência muito diferente. Minha pele era amarela pelos medicamentos, meu cabelo caiu completamente, meu corpo tinha inúmeras cicatrizes inimagináveis e eu ainda não tinha encontrado meu lugar.

Encontrei toda a casa diferente, minhas roupas estavam

embaladas, meus acessórios já tinham escurecido. Era muito estranho ver minhas coisas de novo depois de tantos meses.

Estar sem voz e não poder mais cantar era algo que me fazia ter que reconstruir minha identidade.

Descobri que sou mais do que talentos e imagem.

E quando apresentei meu coração a Deus, Ele me disse:

- Perdeu o chão? Abra suas asas!

Existe um vento que te levará às alturas.

Existe um tesouro no deserto e o quebrantamento é o mapa da mina.

Existe um poder ilimitado liberado ao quebrantado diante dos limites das possiblidades.

Não fomos feitos para o deserto, somos feitos de plenitude.

Mas se passarmos por ele, a dependência total dAquele que nos aprimora naquele lugar fará com que saiamos melhores de lá.

Depender de Deus é caminhar em direção a uma intimidade profunda com Ele, onde Ele nos faz plenos.

"E disse-me: A minha graça te basta, porque o meu poder se aperfeiçoa na sua fraqueza". 2 Coríntios 12:9

Assim como Paulo, de boa vontade, me gloriarei nas minhas fraquezas, para que em mim habite o poder de Cristo.

Jesus se alegrou quando soube que Lázaro havia morrido, e ele não estava lá. Os que vivem pela fé enxergam na impossibilidade uma oportunidade e glorificam na fraqueza. Atitudes que a razão não explica.

Como Davi, diante do vale da sombra da morte sabia que não estava só e pela fé declara uma mesa preparada, onde o cálice transborda.

O Espírito Santo me fortaleceu e me edificou na medida em que os dias se passavam e eu refletia em tudo que estava acontecendo. E logo eu percebi que o mais belo corpo é aquele que abriga o Pai da Eternidade, e o melhor bronzeado é o da alma iluminada pelo Sol da Justiça. A verdadeira beleza é fruto da virtude de amar melhor.

E adorar em silêncio me faz ouvir a canção dos anjos.

Mesmo que eu não tenha voz a minha alma canta e o meu coração transborda.

Nada tira a minha alegria de estar viva.

Nada rouba meu prazer de respirar.

Depois de 40 dias fui liberada para tocar meu filho e mesmo sem força para carregá-lo pude abraçá-lo e deixá-lo ouvir novamente o som do meu coração.

Uma vida com propósito

"A morte de uma semente é o sepultamento de uma floresta." **Myles Munroe**

Deus move céus e terra para preservar a vida dos seus filhos até que cumpram o seu proposito.

Muitos homens de Deus tiveram suas vidas ameaçadas e o Senhor os fez prevalecer para que o propósito de suas vidas se cumprisse. E alguns deles foram atribulados, aprisionados e passaram por fortes aflições para que sua rota fosse reprogramada e voltassem àquilo que o Senhor havia lhes pedido para fazer. Uma coisa eu tenho certeza, nunca mais serei a mesma.

O Propósito o protege. Se existe uma palavra que define o que o Senhor fez por mim essa palavra é Graça: Favor imerecido de Deus. Não há nada em mim que me faça merecer estar de volta, merecer estar viva.

Mas o amor de Deus não nos escolhe pelo que somos, mas pelo que Ele pode ser em nós. Passar pelo vale da sombra da morte me fez amar melhor, me fez querer aproveitar cada momento da vida sabendo que tudo que temos é o hoje e o agora. O amanhã pertence a Deus.

Não adiar o perdão, não adiar um abraço, não deixar de dizer eu te amo, não esquecer o valor da vida.

Desfrutar de uma vida com propósito é aproveitar cada segundo agradecendo por tudo e transformando cada dificuldade numa oportunidade de ser melhor.

Não há nada melhor do que viver a vontade de Deus.

Se for preciso renovar a mente, faça-o. Se for preciso abrir mão, não tenha medo. Se for preciso obedecer não demore, faça o que for preciso.

Fomos formados por Ele e para Ele para uma vida de plenitude.

E se não desistirmos, viveremos o Seu Reino aqui.

Haverá dias sem respostas, noites longas também, mas o regente de todas as coisas compõe uma nova canção no silêncio.

Tim-Tim

Muitas vezes somos surpreendidos com acontecimentos não programados, e algumas vezes experimentamos o que mais temíamos.

Mas diante de uma fatalidade, uma perda, uma injustiça ou uma enfermidade, você tem muitas escolhas.

Você pode perder a fé, reclamar, acusar, duvidar do amor de Deus e sentir pena de si mesmo.

Eu decidi agradecer.

O fim que não esperamos pode ser o começo daquilo que sempre desejamos.

Perder para ganhar é um processo doloroso e desafiador que nos leva para mais próximo de Deus, quando descobrimos que o que mais importa é invisível aos olhos e chorar algumas vezes é preciso para regar as sementes da vida.

Celebrar a vida é um dom, e agradecer é um brinde.

Então olhe ao redor, respire fundo e agradeça!

Você tem muito mais do que imagina.

Reino
editorial

***Os céus são do Senhor e a Terra foi dada
para o reinado do homem***

Salmos 115:16